毕红风◎著

法官手记

FAGUAN
SHOUJI

当代世界出版社

图书在版编目（ＣＩＰ）数据

法官手记 / 毕红风著. —北京：当代世界出版社，2012.1
ISBN 978-7-5090-0500-2

Ⅰ. ①法… Ⅱ. ①毕… Ⅲ. ①随笔－作品集－中国－当代 Ⅳ. ①I267.1
中国版本图书馆CIP数据核字（2011）第272352号

书　　名	法官手记
出版发行	当代世界出版社
地　　址	北京市复兴路4号（100860）
网　　址	www.worldpress.com.cn
编务电话	(010) 83908403
发行电话	(010) 83908410（传真）
	(010) 83908408
	(010) 83908409
	(010) 83908423（邮购）
经　　销	新华书店
印　　刷	北京天正元印务有限公司
开　　本	710毫米×1000毫米　1/16
印　　张	15.5
字　　数	170千字
版　　次	2012年1月第1版
印　　次	2012年1月第1次印刷
书　　号	ISBN 978-7-5090-0500-2
定　　价	28.00元

如发现印装质量问题，请与承印厂联系调换。

清新的风

张胜友

2011 年夏日的一个午后，接到电话，说是山西古县的一位文学爱好者要见我，却之不恭，来者是一位女青年，搂着一摞厚厚的书稿，求我为她的书稿作序。

我惊讶她怎么能直接找上门来？她笑着回答：我认识您呀，您到过我们古县，我还亲耳聆听过您讲话呢！

牡丹仙子。汉白玉牡丹仙子像，矗立在美丽的牡丹景区，整体洁白细腻。牡丹仙子亭亭玉立，身姿婀娜，微步凌波，衣裙翩跹，高贵端庄，美丽大方。这是目前世界上最大的汉白玉雕像。

　　原来，2010 年 4 月，古县第三届牡丹文化旅游节期间，我曾应邀前去参加全国作家赏花笔会。古县是战国名相蔺相如故里，素有"天下第一牡丹"之美誉，近年发展旅游业名声远播，深山有仙，人杰地灵，便多了一份神秘与向往。

　　当作家们下榻古县宾馆的时候，都被这晋南名县、北方小城震撼了：青山拱卫，水环城绕，树木葱郁，牡丹盛开，花果飘香，不是江南胜似江南呵！

　　显然，古县之行给我留下诸多美好记忆。看着作者手中厚厚的文稿，我欣然答允了。

　　作者毕红风女士是一名基层法院的法官。她说，工作之余没有别的爱好，既不喜欢逛街，又不喜欢打牌，也不喜欢扎堆聊天，唯一的爱好就是读书，同时把自己对世界的认知，把自己看到的美景，把自己的所思所想所感所悟，变成文字。她感到这是一种很美妙的人生。

　　毕红风送来的这些文稿，有杂谈，有心灵感悟，有亲情实录，有生活琐记，还有自己的工作随笔。

　　作为一名法官，毕红风的文字向我们揭示了当下另一种"社会生活风景"。用她自己的话说："有的人一辈子不遇一件麻烦事，我们却天天缠在是非中。"字里行间，流露出作者身为法官的良知，以及作为女法官的铁骨柔情。三百六十行，职业不同，在每一种岗位上都能绽放生命的光华。

　　毕红风是一个重情义的人，文章中写婆婆、公公，同时写娘家父母，也写了丈夫、女儿，透过历史的变迁，活脱脱一幅晋南家庭生活风俗画：核桃树下，蜂飞蝉鸣，吃一碗地道的农家面条，采几许纯天然无污染的新鲜蔬果，淳朴、自然、清新……作者的文章都是在工作之余随笔拈来，对生活感受真切，感情细腻真挚，读来不矫揉造作，可谓朴素中见真情，自然中悟人生。

现实社会中，许多人活得有些浮躁、急功近利。毕红风却在用心生活，她用一篇篇的文章阐释着自己对生活的领悟，用朴实的文字诉说着身边的故事，道出了我们的心声，让人产生认同感。每一篇、每一个故事娓娓道来，却让人感到，生活中的她，也是你自己。

无疑，作者的笔锋是犀利的，她直指一些不良社会风气和丑恶现象，有关于拉关系问题，有孩子的教育问题，有为人处世的修养问题……这些话题全来自于生活，可能每个人都在思索这些问题，并被这些问题所困扰着，兴许还有各自不同的见解，不如拿来一读，或可解心中郁闷，豁然开朗也。

蔺相如墓。将相和的故事千古流传，蔺相如的威名震惊四方，我们敬仰他，纪念他，把他顾全大局、大义凛然的崇高精神、高尚品德一代一代传承下去。

　　捧读文稿，掩卷思之，我不由得又想起了古县牡丹，当开则开，开放得那样灿然，昭示着风清气正，即所谓"一方水土养一方人也"。

　　是为序！

辛卯岁仲秋于北京

目录

◆ 夫妻的缘分

◆ 跟女儿一同成长

七　我是法官

一　亲情无限

1、婆婆的王国

我时常惊讶于婆婆在我的家里和在她自己的家里的不同，判若两人。

婆婆不识字，随着她年龄的越来越大，以及县城日新月异的变化，她进了城好像更加手足无措了。找不着方向，只会在某几个固定地方购物。到了我的家里，虽然也看不出举措不安，却是目光呆滞、无精打采，非常好说话，任谁一看都是一个好脾气、木讷的人。

回了村里，到了她的家里，感觉她就是一个王者，神采奕奕，可以呼风唤雨、主宰一切。

在她的王国里，有我的公公，一个不善言谈、只会种地放牛却还大男子主义严重的人。婆婆虽然比公公小不了几岁，其动作灵活性却是超出公公许多，并且耳朵不聋眼睛不花，家里婆婆除了掌握不了钱，其他都是她料理安排。因此，惯常情况下都是婆

勤劳的婆婆。从天不亮婆婆就开始劳作，日复一日年复一年，似乎永远不知道疲倦，一分耕耘就有一份收获，婆婆在她热爱的土地上播下了种子，种下了希望，也收获了成功与喜悦。

婆伺候公公的衣食住行，而公公也习惯了衣来伸手、饭来张口的生活。但夫妻之间总要掌握平衡，婆婆干了活，并且人本身牙尖嘴利，公公少不了受到婆婆的数落。不知是公公不屑于理婆婆，还是多少年形成的习惯已经不在乎了，反正根本不在乎婆婆的大呼小叫，该干嘛干嘛，我行我素，你嫌我起得晚，我明天照晚；你嫌我不换脏衣服，你不给我套好我就不换。但无论如何，这时候的婆婆是威风的，就是一个女王。

在她的王国里有一只狗。那是我们送回去给他们看家护院的。我们送回去的时候，婆婆说她恨死狗了，不想喂，言称要饿死它。但是等我们下次回去的时候，狗不但不瘦却更加精神了。按丈夫的话说，就不要理她，给了她她就会喂的。真的，婆婆喂狗非常精心，专门为狗做饭，我们拿回去的剩鸡肉、排骨等，婆婆总是先把骨头拆下来喂狗，然后把肉仔细装好，每次给狗的饭里面拌进去一些肉。而狗狗的回报就是婆婆出门归来后，围绕着婆婆前前后后跑动，摇着尾巴，亲昵无比。并且这只狗非常忠心耿耿、尽职尽责。婆婆时常会瞅着狗狗说：狗狗，好亲！每到这时我跟丈夫都相视一笑。但当狗犯了错误后，比如把下蛋的母鸡追得无处落脚，把邻家小孩撵跑等，婆婆也会训斥狗，狗就会低眉顺眼乖乖站着以示接受。

在她的王国里还有许多土地，除了承包的村里的土地，还有自己开垦的院子里及院子周围的一片片的菜地。她每天忙于这些土地，虽然干活慢了，也会花上个把月去山上的麦地里拔杂草。力气不行了，担不动水，也会一趟趟拿着烧水壶到河里打上一壶然后浇到菜地里去。除了冬天，我们每次回去看她都需要提前预约，否则她就在地里干活，找不到她，直到天色晚了才肯回家。当然，付出就有收获，土地回报给她的是吃不完的蔬菜，吃不完的粮食。

在她的王国里有鸡，有牛。在现代化的机械尚不能进入婆婆的那些山山梁梁的土地上时，牛就是很重要的耕作者。婆婆的家里几十年来就没有少过牛，曾一度养过大大小小五头牛，公公婆婆放牛归来踏着夕阳赶着群牛叮叮当当出现在家门口的公路上时是最威风的，那是一幅最美的乡间牧归图，我时常被这样的场景感动，真是辛勤的老人！这些牛也很争气，每年都有一头小牛收账，给公婆增加一千多元收入。我觉得婆婆最喜欢小牛，几乎对每头小牛她都会满脸欣赏地夸：这头牛最好，欢势，长膘快。每一头小牛的卖出都会让婆婆不开心好几天，她对牛是真心的喜欢。还有就是鸡，婆婆每年都会增加几只小鸡。我们觉得这些鸡很烦，鸡屎满院子都是，可婆婆就是舍不得把这些鸡处理掉。对于下蛋后的鸡，婆婆总会额外喂点食，作为奖励，也是作为补偿。但是对于鸡下的蛋，她是舍不得吃的，偶尔给公公吃一些，还有一些看望村里生病的人，其余的基本上都给了我们，我们不要还都不行。我知道，婆婆为能为我们做点事而开心。

在她的王国里还有一望无际的大山，山中新鲜的空气以及山里的花草树木。别以为婆婆只是会埋头苦干的人，她有时还挺浪漫。看见野花开放她会很欣喜，听见流水潺潺她会很快乐，她能欣赏一年四季的美，偶尔的她还会一个人爬山，只为欣赏山中的美景，呼吸新鲜的空气。

在山中，在她自己家里，婆婆是充满灵性的人，是精神抖擞的人。每天清晨第一缕炊烟从婆婆家的房顶升起时，她的一天就开始了。她做饭洗衣，上山下地，呼鸡唤狗，与公公吵嘴，与邻里聊天……一天再不停歇，忙得不亦乐乎。在她的世界里，她活得满足、活得快活、活得自信……

我们每一个人都有自己生活的世界，都在自己的世界里如鱼得水的生活着，这个世界就是自己的精神王国。

2、公婆搬家

我的公公婆婆总算离开他们生活了一辈子的家，跟我们住到了城里。尽管我们答应他们过完年天暖和了就可以回村里住，这之前还是做了大量的工作才真的下了城。

在我们还没有邀请他们来城里居住时，他们对于在城里生活是有些向往的。他们会说"村里的某某某跟上儿子到城里了，不用在村里遭罪了"，他们还会说"村里的某某某嫁给了城里的老汉，过上好日子了"等等。是的，农村的生活在我看来是有很多困难的，交通不便，买东西看病不便，吃水不便，一到冬天家里冷得坐不住。看着两个已七十多岁的老人，每天还在不停地劳作，从早到晚闲不下来。听着婆婆诅咒自己：我怎么还不死？死了就不用每天遭罪了！而我们过着与他们天壤之别的生活，就很过意不去，我跟丈夫早就想着等时机成熟一定接老人到我们跟前享福。

我们知道老人跟我们住一起不合适，在几个月前就给他们租赁了一处两间房子的小院。在他们知道我们是真的要把他们接下来之后，这搬家的日子就一拖再拖，先是说收了秋再走吧，然后说让我的鸡再下几天蛋吧，每天可以下 5 个呢，再然后又说过了下月十五吧，还有一些事没完，最后不得不说：那走吧。临走之前，公公还对着婆婆发火：我就没答应进城，谁让你答应的？

到底还是搬来了，从搬来那天起，我就看到了他们的手足无措。3 天了，公公一直在沙发上坐着，哪儿也不去，连院子都没有出去过。而勤劳的婆婆，一直忙里忙外，却总是感觉那么不得心应手。放着煤气炉子他们不敢用，放着电磁炉他们舍不得用，而用的我们专门买的蜂窝煤炉子。婆婆节俭惯了，轻易不肯换煤球，直到烧的没有火焰了才换，结果就是接二连三地灭火无法做饭，在城里可以烧蜂窝煤的地方实在不多，每次他们一说炉子灭了我就格外头疼，但总得想办法，我真怕他们一急之下连年也过不完就要回去。

换了一个地方，他们就像换了一个人。婆婆是多自信的一个人，在自己的王国里如女王一般运筹帷幄，而离开了自己的舞台，真真正正成了一个"无用"的老人，她弄不懂煤气炉子如何打开，她不知道那些电器开关在哪儿，她连大门的开关都不能掌握，她在坐便器上无法大小便……好像家里的每一件东西都对她产生了障碍。而公公，一个人的时候就对着电视机看，见了我们去就跟小孩子一样开心，原本耳聋木讷不多说话的人，我们去了，他就是一直说话，并且总要挽留我们跟他们一起吃饭，还预约第二天的饭食，不知道该怎样招呼我们好。我有时候故意逗他们，问他们是否待得住，公公只笑不答，婆婆则坚决地说：待不住，过完年我就回。婆婆从进了城就说，他们之所以下城，就是考虑我们结婚都快20年了，孩子都18岁了，还每年回村里过年，没有在自己的家里过过年，心疼我们。

感谢这两个善良的老人，本来我们是想让他们过好日子的，没想到他们在为我们受着这么大的委屈。是呀，在我们看来是贫瘠的地方，却是他们的根，是他们舍不得离开的土地，他们熟悉了山村新鲜的空气，他们习惯了每天呼鸡唤狗，他们只有坐在自己的热炕头才觉得舒坦，他们有如亲人般的相邻相伴才不寂寞，他们刨着那些并不肥沃的土地才心里踏实。

我感慨，每个人都有适合自己的舞台，一旦离开了自己的舞台就活不出自己的精彩。

3、执拗的婆婆

公公婆婆搬到城里居住20多天了。看起来公公已经适应了城里的生活，左邻右舍互相走动走动，摸清了垃圾车到来的时间，出去倒倒垃圾，还要求我们带着他走亲访友，逛逛街，活得有滋有味。而婆婆就不行，从她的心里就没有想着要适应这里的生活，她只有一个念头：尽快回到她自己的家里。她多次跟表决心似地说：我出了正月就回，一天也不多待，你们不送我，我也要自己走回去。每逢这时，公公就会搭腔：你自己回，我不回去。看得出公公是在开玩笑，但是婆婆就会很不高兴，顶撞说：我不像你这么没主意，我主意真着呢。

就像一个朋友说的，我婆婆纯粹就是在应付，就没安心在城里待。她原来住在村里时，还时不时地一个人进城转转买些日用品，现在住到城里了，反而哪儿也不去，她的阵地就是厨房。每天早晨五点多钟就钻进厨房，一待就是一天，基本上很少回客厅坐着。她也不一定就要做什么，有时候就是在发呆。我们问她为什么老在厨房，她回答说：我看不见你爸心不烦。我们叫她出去散散心，她总很执拗地拒绝，一句话：我哪儿也不去！她就像赌气似地说：别看城里用水方便，我不洗衣服，我到过年才洗。

一天婆婆跟小姑子说：你爸这人，还怕天塌下来没地顶着呀？小姑子马上开玩笑说：你怕天塌下来没地顶着呀？放心！小姑子告诉我这句话后我笑了，觉得老太太挺好玩的，她担心什么呀，不论出了什么事都有我们呢，她大可不必操那些心。

但是我一直在回味婆婆的这句话，我想不通婆婆为什么会有这样的想法，我们每天都去看他们，只要缺东西都急着往回买，生怕他们待不住，生怕他们受了委屈。当我把婆婆的话跟丈夫谈起时，丈夫叹了一口气说：她是太要强了！丈夫的话点醒了我，我一下子明白了婆婆这句话的意思，她不服老，她觉得她完全可以靠自己的劳动养活自己，她的天可以靠自己撑着。她对公公说的这句话，有些怪公公没骨气的意思，抱怨公公怎么可以这样安心受着儿女们的照顾。她要强了一辈子，一辈子都靠自己的劳动来生活，现在好了，不用遭罪了，但她心里憋屈，憋屈自己竟这样靠别人来生活了。这里再好，却什么都不是自己的，她从心里抵触这样的生活，拒绝这样的生活方式，用这样的方式表明着自己的态度。

观念这问题还真是不好改变，我们都没有办法说服她，她就是这么一个要强的人。我们以为我们这样做给她们的是幸福，他们劳碌一辈子，该安心地坐下来享享清福了，但我们所谓的尽孝，带给婆婆的却是心里的痛苦。通过这个事，我对尽孝心有了进一步的认识，尽孝心的关键不是你想给与你的老人什么以及你能给与他们什么，而是从心里关注他们需要什么。

我很惭愧，在我们的关照下，原先那个在村里呼鸡唤狗的"女王"不见了，代之而来的是一个苍老的、执拗的、呆滞的老太太。我们能做的，只有尽快让她回到自己的家里，重新过上自己想过的生活。

4、婆婆的信仰

婆婆今年搬进县城过年了，婆婆供献的神也跟着来了。丈夫对婆婆开玩笑说：妈，你到了哪儿，神就在哪儿。婆婆虔诚地说：神在心里，走到哪儿要供到哪儿。

婆婆每年过年都要供献许多神仙，对故人的敬献自不必说，这不算神，算神的有灶王爷、老天爷、土地爷、财神爷、马王爷、龙王爷等等。婆婆说，离了哪个神，人都不好活，哪个神都得敬着。年三十晚上，婆婆就把各个神仙的牌位摆放好，在忙完过年的一切事情之后，接下来就忙着为祖宗和她敬的神准备供献的物品，各个神的跟前都有各色盘盘碟碟，盛着菜，献着亲手蒸的花馍。初一的饺子，首先是给各路神灵供献之后我们才能吃，这个仪式比较漫长，把饺子献上一圈下来需要一二十分钟，我每次都觉得饺子能煮破。

婆婆非常迷信。她相信冥冥之中总有一些人力所不能及的力量左右着这个世界，左右着人们的生活。她常说，不要以为做了什么没有人知道，行善行恶老天都知道。

记得我女儿不满一岁的时候动不动就在晚上哭，哭得惊心动魄的，哭得人心里发慌，甚至一次惊动了许多邻居来看到底怎么了，抱到医院一看没毛病，回来后女儿开心地又玩又笑，什么事也没有了。可是过两天又哭。婆婆知道后，来城里看女儿，她说，孩子的魂丢了，晚上把魂唤回来就好了。等到晚上，婆婆拿着孩子的衣服走在前面，我抱着孩子跟在后面，在家里一圈一圈地转，我忍着笑跟婆婆一路念叨，婆婆喊着女儿的名字说一句"回来吧"，我回答一句"回来了"，然后在把一些别的仪式举行完后，婆婆

老朋友。婆婆大半辈子的好朋友，互相帮扶着一直到老。婆婆说，没有她的这个老姐姐就没有他们这一家人的今天。

把手里的衣服披在女儿身上，唤魂结束。我不记得是否起作用，只是觉得这样很可笑，记得很清楚。

而婆婆非常相信，甚至是坚信其作用。婆婆有一个老亲戚，也是她的好朋友，是时常为大家看那些村里人所说的"外病"的，也就是说能与神通上话的人。婆婆有个头疼脑热就喜欢找她看看，我不知道她到底看好了婆婆以及婆婆全家一些什么病，反正婆婆非常感激她，说这个老姐妹是她家的救命恩人，幸亏有这个老姐妹保佑着他们全家呀，要不然就不会有他们这一家人。

所以婆婆非常重视敬献神灵的工作，我认为，若论虔诚，婆婆定然会是最虔诚者之一，她是发自内心地顶礼膜拜。每个月的初一、十五她必然会把所有的神灵敬献一遍，每到中秋，婆婆还会把香案摆到院子里，把瓜果、蔬菜、月饼等食物摆放上去，敬献月亮爷爷。婆婆在面对敬献的各路神灵下跪时，嘴里念念叨叨着。我想她是把最美好的愿望都诉说给了各路神灵，祈求带给她自己以及全家平安健康。

我不是无神论者，但我也不至于迷信就有神存在，所以每逢婆婆那么虔信的时候，我都会偷偷发笑，甚至还取笑过她的过于迷信举动。随着年岁的增长，我理解了婆婆。神，就是她的信仰，她把她的信仰刻在心里，一辈子不改变。由于这种信仰，她觉得人应该做好事，不做亏心事，神在天上看着呢，做了亏心事会受到惩罚的。并且她的信仰中还有一种感恩心理，就像她敬老天爷时说的：老天爷可了不得呀，咱们吃饭穿衣可全靠老天爷呢，咱们得敬着！

连自己名字都不认识的婆婆，靠着这份信仰，善待天地万物，活得如她所说"上不亏天，下不亏地，心里舒坦"。这种境界，我们自愧不如。虽然她的过于迷信不可取，但她的精神却值得我们学习。

5、婆婆的"寺岭"

终于，婆婆在县城住了两个多月后，如愿又回到了她日思夜想的村庄。婆婆回家那天，丈夫猜测说，婆婆回去，明天就要去寺岭。我明明知道婆婆对寺岭的感情，还是忍不住向婆婆求证：你明天干什么呀？婆婆想都没想就说：去寺岭！

寺岭是一个地名，确切地说是婆婆所在山村的一个小山庄，据说这个小山庄是因唐朝建过一所寺庙而得名，现在这所寺庙已不复存在，只留有一些残砖断瓦。不要说这个小山庄，就是稍大点的地方，在我们县的地图上都找不到。从婆婆嫁给公公起就居住在这里，这是婆婆生活了大半辈子的地方。

寺岭基本位于这个山村的最高处，从婆婆现在居住的村子中心开始爬山，大约需要半个来小时，爬到山顶就是婆婆的老窑洞了。寺岭最辉煌时曾经居住着十几户人家百十亩地，由于交通不便，缺水，大家陆续都搬到山下去了。在我踏进这个小山庄的时候，这儿居住着一家半人，除了婆婆一家外，还有一个孤寡老太太。再后来两个小姑子出嫁，寺岭就只剩下三个老人在坚守了。

二十多年前的一个暑假，我与几个同学随丈夫到了寺岭。我们是将自行车放到山下的一户人家，然后爬山到的寺岭。正是盛夏初秋之际的成熟季节，我们一路走着，一路吃着丈夫为我们采的野果、野菜。山风习习，小鸟鸣唱，远处人家炊烟袅袅，时不时传来几声狗吠。我是第一次进山，置身大自然之中，一切都很新奇，尽管骑行上百里，又走这么崎岖的山路，也没觉着累。到了晚上，我们坐在院子里，头顶着满天繁星，享受着小山村的静谧，享受着院子里熟透的桃子和尚未完全成熟的青皮核桃，感觉这个小山庄好美。在回家的路上，跟我同行的女同学无限感慨地教导我，让我千万不能嫁给我的丈夫，这个地方太穷了。而我却并没有听进同学的话，反而因为这一次游玩坚定了要嫁给丈夫的决心。

然而偶尔游玩与居住生活是两码事，尽管我们长年居住县城，不必在寺岭天天面朝黄土背朝天地劳作，尽管不用为了吃水而去往很远的几里之外地方去挑，尽管不用为了一点生活用品而到山下小卖部去买，尽管不用忍受许许多多说不上名堂的不便，单就是每年过年这几天住在寺岭就让我感到一年比一年痛苦。我们带回来的每一样年货都需要运到山上，往往好几个劳力才能送完，而我只要自己能爬上山就已经很好了。如果山上积雪未化，我更是狼狈，记得有一年大雪天，在那山路上我完全无法站立，一走三滑，不得已手脚并用，我边爬山边哭泣，所以我上了山就不再下山了，串门是奢侈事。山上最不方便的是水，几如珍宝，往往洗脸不敢用香皂，因为洗脸水还要喂鸡喂猪，每一滴水都是要发挥它的最大作用的。住几天下了城我都恍如隔世，有自卑之感。

但婆婆却是那样喜欢她的寺岭，她在寺岭津津有味地经营着自己的日子，养十几只鸡、养两三头牛、养一只狗、养一只猫、养两三头猪。她不到80斤的体重能扛起八九十斤的粮食下山磨面，她隔三差五地进趟城买些生活必需品，她从天蒙蒙亮就挑上水桶下山挑水，到太阳升起时已将一天人畜所用水备好。婆婆从天尚未亮就起床干活，直到暮色四合，日复一日，似乎不知疲倦。

是的，婆婆不只是不知疲倦，她还时常一个人开心地哼唱。记得婆婆在城里居住这段时间，总是眉头紧蹙，痛苦刻在脸上。我对丈夫说，怎么就没见你妈心情好过。丈夫说：不对，她在寺岭心情好，还唱歌呢。我想起来了，在寺岭居住的那段日子，她最喜欢的歌曲是《黄土高坡》："我家住在黄土高坡，日头从坡上走过，照着我的窑洞，晒着我的胳膊，还有我的牛跟着我……"她能记住每一句歌词，她认为，这首歌就是写给她的。

当八年前我们在山下给她修好房子让她搬的时候，她是持抵触态度的，按她的话说，这山上多畅快，多自由。那时她已年近70，由于多年来过于劳累，血压高，血管硬化，以及各种身体毛病已不适宜做沉重的体力劳动。她最后拗不过我们搬下来了。但她从没有断了去寺岭，心情愉快的时候去，心情不愉快的时候也

寺岭。婆婆最喜欢的歌是《黄土高坡》："我家住在黄土高坡，日头从坡上走过，照着我的窑洞，晒着我的胳膊，还有我的牛跟着我……"婆婆说，这首歌唱的就是她，她一辈子在这片土地上日出而作日落而息。

去。有事时去，比如去收割，去剜地，去打核桃，去摘花椒，去给麦地拔草，去挖药材，去砍柴……这时的婆婆是踏实的，她感到体现着自己的价值，为了不耽误工夫，她往往背着一壶水，提着几块干粮，一待就是一整天。她没事时也去，就是为了看看她的老窑洞，她的庄稼地，这里的一草一木，闻闻她的寺岭的空气，听听她的寺岭的鸟叫，漫山遍野地走走就回家了。这时的婆婆是浪漫的，她会自言自语，会对着草木说话，会迎着风唱歌……

寺岭就是婆婆心中的圣地，是永远无法割舍的所在，这里留下过她的快乐，她的期盼，她的收获，她的艰辛，她的付出……不管人在哪里，她的牵挂她的精神都永远在她的寺岭。

6、父亲的功课

父亲退休已经八九年了，依然每天生活很规律，工作、学习、生活安排得井井有条，活得充实、滋润，这在我们意料之外，我们一直以为一辈子只会工作不会生活的人，退休后，没有工作做了，肯定会寂寞。

事实上完全不是这么回事。做了多年教育工作，当了多年校长，退休后不乏聘用其出山担任校长者，也不缺请教经验者，更不少聊天解闷者，忙得不亦乐乎。

但是他最热爱的事情还是学习，订阅了各种与教育有关的书刊杂志，每天早饭后，一上午的时间都是在学习中度过的，一本一本的读书笔记出自他的手，一份一份的学习心得、讲课稿全是他的心血。对教育事业，他奉献了几十年，退休了，仍学习不辍，传授知识、经验不知疲倦。

今天见他，他依然很兴奋地向我讲他的学习心得，他的教育观点。我在继续感叹父亲的认真、执着的同时，我更感叹他写给我侄女的"爷爷想对你说"。他每天都要腾出一些时间给他的孙女，也就是我的侄女写一段话，用稿纸工工整整写出来，有自己对一段话的感想，有名人名言，有针对孩子新近出现的一些缺点和不足的提醒等等，每天一篇，侄女已上初二了，每个月一本，已整整写了16本了。他抚摸着这些本子，珍爱异常。

他不仅把要说的话写给孙女，还要求孙女抄一遍，并写出"我想说"的话，爷孙俩依此交流思想、感情，在孩子接受到教育的时候，也锻炼了写作能力，同时对于父亲了解孙女的心理和动态有很大作用，以便有的放矢，及时解决思想中存在的问题。

我想起了父亲对我孩子的教育，孩子真正跟我父亲交流也是在上初中后。父亲那时采用小纸条的形式，每天写一个纸条给我的女儿，整整三年。在他的教育下，我的孩子成长得健康、阳光，积极向上。

父亲老了，但他每天坚持做着自己给自己布置的功课，从不间断。就象他给我侄女写的一样：今日事今日毕。他的榜样精神鼓舞着我，让我不敢懈怠，同时，他用说出的话激励着他身边的每一个人，用自己的实际行动教育着他身边的每一个人，告诉我们：有这样的精神、这样的心态生活、工作和学习，怎么不会迎来一个有意义的人生！

7、父亲的苦心

我订的杂志来了，《小说选刊》。

看见这本杂志，我感慨万千，想起了小时候父亲为我们订阅的书刊杂志。正是这些杂志让我从小养成了读书的好习惯，增长了我的见识，丰富了我的生活。

记得小时候父亲订阅的书刊杂志种类挺多。在七八十年代，有人有心情、舍得花钱为自己和孩子订阅书籍的人少之又少，尤其在我们那样一个乡镇所在地。

上小学的时候，父亲给我订的书刊有《小学生》、《作文报》，到中学之后，就有了《中学生》、《少年文艺》、《儿童文学》、《语文报》等书刊，我记得除此之外，我父亲自己订的书刊有《小说选刊》、《当代》、《收获》、《新华文摘》、《小说月报》、《山西文学》等好多种。我醉心于阅读这些书刊，当然好多是囫囵吞枣读下来的。记得初二时我的梦想是当作家，这无疑与受到的这些熏陶有关。

我在我的孩子身上做得并不如父亲好，近几年我才有了为孩子订阅书刊杂志的想法，而我翻来覆去还是能够想起父亲为我订的书刊，觉得那些给我知识和力量的书刊真是全世界最好的图书和杂志。我为孩子订的书中还是少不了《中学生》、《语文报》等，我为孩子买的书还是《儿童文学》合订本、典藏本等。我在订阅这些书中寄托着我对孩子的期望和爱。然后，我还为我自己订了《小说选刊》，在我订阅这些书刊的时候，我总会想起父亲为我订的杂志，并且每一次都会对丈夫絮絮叨叨讲好多遍，加入自己的感想和对父亲的爱戴。

当时我并不理解父亲的苦心，不知道在订阅这些书籍中倾注了他的多少爱和寄托。在那个时候我以为，我的父亲讨厌我，因为无论我学习、干活、玩耍或者是静静的坐着，都会受到他的训斥，我只有远远地躲避着他，出现在他看不见的地方。

其实现在想想，他要求的内容都是正确的，比如走路，他要求我抬头挺胸抬起脚，我一放松，就会受到责备；比如学习习惯，他告诉我摆在书桌上的只有当前的学习用具和书籍，其他的一律去掉，还告诉我正确的学习姿势，我做不到，就会是暴风骤雨式的训斥；比如做人，当我撒谎之后被他识破，他的失望让我觉得无地自容；比如做家务，我会因为抹桌子不知道方法、扫地不知道顺序而受到指责……这一切都让我终生受益，我的积极向上、我的诚实善良、我的许多好的习惯都来源于小时候父亲的教育，尽管在当时的我看来过于残忍一些，在现在的父亲看来过于严厉一些，我还是要说，现在的我明白了父亲的苦心，他想让我成长得健康快乐，做一个真正的人。

现在理解并不为晚，我可以非常高兴地告诉我的父亲：谢谢您，我长大了，您的苦心我全懂了。我还想说，父亲对我们倾注的这些爱，将会传承下去，传递我对我的孩子的教育上，我相信，我会让我的孩子成长得更好。

8、抽空给父亲打个电话

好长时间不给父亲打电话，我总会以忙为借口。

每次接到父亲打来的电话，面对他问我最近是否工作忙时，我会夸张地渲染我有多少案子等待开庭，有多少案子等待宣判，有多少案子在写文书……说这些话，不只是试图掩饰自己对他的怠慢，还想让自己相信：我很忙。

记得一句话，忘了从哪儿看来的，大意是说，每天给你的父母打一个电话只需要两分钟，难道两分钟你也抽不出吗？实际上，不管多忙，我有时间与聊得来的朋友发发短信，有时间上网聊聊天，甚至还有时间在玩游戏，唯独缺少的是给老父亲的一个两分钟的电话。有一位朋友，我感觉他就是个孝子，结果他说：我们对儿女的爱是自愿的，对老人的孝敬却是被迫的。

我信！自古皆然。我也深有感触。

孩子们成为我生活的中心，每个周末，我都会接回孩子或者去学校看望孩子。而对老父亲，却是好长时间了，觉得过意不去了，方才匆匆转上一圈，弄得自己都感觉到是在应付。

老人对我们没有任何索求，只是需要一个问候，向他们报告一下我们的健康、平安足以让他们感到慰籍。而作为我，却时常会忽视，并不是故意不打去一个电话，而是因为，我就想不起来。总是在父亲电话打来的时候，心底才泛起一些不安，开始自责。

当妈妈还活着的时候，我总认为，他们还不算老，等他们不会动了，需要我了，我再伺候他们也不迟。妈妈的去世，让我感到，一切不是那么回事，太匆匆了，老人没有到了需要我们付出的时候就离开了，留给我的是深深的遗憾。

我又有几天没有主动给父亲打电话了。我要打电话告诉他，天冷了，多加衣裳。我还要告诉他，我身体健康、工作顺利。我也要告诉他，我的孩子很好，健康、阳光。我更要告诉他，这个周末，我会领着孩子去看他。

9、渐渐变老的父亲

许多人见了我的父亲都会说，我的父亲就不见老，多少年都没有改变。

我也这样认为，并以此为骄傲，常常对我的朋友说，我的父亲虽然年近古稀，却像50多岁的人似的，从我记事起，他就是短短的小平头，头发乌黑繁茂，至今如是。

但是，人总不能抵抗自然规律，父亲还是在渐渐变老。

他的行动不再迅疾如风。他一直走路都是抬头挺胸，快如闪电，让人感觉异常精神。昨天见他走路，一条腿好像有些伸不直似的，我就问他腿是否在疼，他说没事的，并且示范着在我跟前走了两个来回。我一下子明白了：父亲是老了！他不再能那样行如风了。毕竟70岁了，比起同龄人或许是精神许多，却也无法抵御岁月对其身体的剥蚀，渐渐显出老态了。

他变得脆弱了。在我以往的心目中，父亲是硬朗的汉子，甚至我还认为他心硬。渐渐地，我发现他已变得很脆弱了，只有好事我们才敢告诉他，疾病和不顺心不敢在他面前言及。记得一次我病了，他非常焦急，发短信说，他哭了。只要我们有什么不适，他会寝食不安。他会天天叮嘱我要量血压，喝降压药，保重身体。

他变得柔情了。我记忆中，父亲心中只有工作，不顾家，在我们面前从来是严厉的，我们姊妹几个包括妈妈都惧怕他。但自从妈妈去世后，他却变了，变得多情、变得牵挂，甚至有些婆婆妈妈，见了我们就是快乐地说呀说，让我们插不进话。昨天我去看他，有意与他一起吃饭，我本来想着一起在外面吃点饭算了，但父亲坚持要自己做饭，并且让我在沙发上坐着等，不让我插手。我没有坐在沙发上，而是他走到哪儿我跟到哪儿，袖手看着他笨拙地和面、擀面、煮面、炒菜。吃饭时，父亲一直问，好吃吗？我说好吃！不是假的，真的味道很好，是我小时候妈妈做的味道，我享受着父亲带给我的久违了的美味，也享受着父爱的温暖。我想，我也带给了父亲满足呢。

父亲是在渐渐变老了，尽管他的外表让人忽视他的老，但是岁月不饶人，他成了一个需要照顾的老人，不只是身体上的，更是心理上的，他从感情上更依赖我们呢，他倾力对我们的关心，他尽心对我们的照顾，他努力表现的坚强，都是要表示他对我们很有用。在我们心目中，他何尝不是我们的支柱呢，从小到大都是这样，现在依然是！

10、一张照片引发的怀念

父亲多天前就告诉我让我看一张照片，是母亲去世时，我女儿下跪哭泣的照片。父亲一直珍藏着那张照片，他说：你的女儿非常值得人亲。

我知道母亲去世时我的女儿哭得很凄惶的，我可以想见到那张照片中的场景，但是，当我亲眼看见那张照片的时候，我的眼泪还是不可遏制地夺眶而出，以至于在这个清晨，我在想起那张照片的时候，依然有一些悲凉在心头。

照片上，我的亲亲的十岁半的女儿，身着孝服，头戴孝布，跪在地上撕心裂肺地哭泣，旁边有一个人拉着她，一只衣袖几将从手臂上拽出，依然没有拉起女儿的身子。这张照片如此真切，我相信看者都会为之动容。这张照片同时也把我拉回到从前的那些日子里。

女儿上幼儿园的时候就跟着母亲一起生活，可以这样说，女儿度过了一个非常健康幸福的童年。都说现在的孩子没有了童年，小小年纪就背上了沉重的学习的负担，不会玩，没时间玩。我的女儿不是这样，用丈夫的话说，我的女儿是放养的不是圈养的，一副好的体格全依仗于那个时候母亲的悉心照料和培养。

那个时候，母亲为女儿付出了很大的心血，女儿上五年级的时候母亲去世的。五六年的时间，女儿在母亲身旁恣意玩闹，如水葱般苗壮成长，女儿的健康是母亲的骄傲，母亲时常喜欢捏着女儿红扑扑的脸蛋，说一声"亲死啦"；拍打着女儿健壮瓷实的双腿，呼作"大象腿"；看着女儿渐渐长高的个子，拥抱入怀……对女儿，母亲恨不得用尽一切爱，那种疼爱自不用言语诉说人人都可以明了。

当时母亲、女儿以及母亲的邻居都说女儿是母亲的"尾巴"，母亲走到哪儿身后都跟着我的女儿。母亲每天接送孩子上、下学，带着孩子串门，领着孩子走亲戚……那个时候，母亲的心里好像除了女儿都没有别人。记得母亲一次出去坐席没带女儿，席间一人一只鸡腿，母亲没舍得吃带回来给了女儿吃。还记得母亲最后一次过生日的时候，面对剩下来的两块蛋糕，她包起来说要带回去让女儿吃，这一举动引得妹妹有了意见："你的眼里就只有你的这个外孙女！"妹妹的意见不是因为这两块蛋糕，而是因为母亲的偏心。

　　母亲是突然去世的，那是 2003 年农历十月十七日，阳历 11 月 7 日，是周一，那天跟平常的日子没有任何区别，没有任何母亲会离我们而去的征兆。她像往常一样，上午洗了好多衣服，晾了满满两根洗衣绳。下午把孩子送去上学后就午睡，午睡起来之后就突发脑出血，很快便离开人世。我的女儿无论如何也不会想到，那顿午饭是与母亲一起吃的最后一顿饭，那次上学是母亲最后一次送她，从此便阴阳相隔。我也难以想到，就在母亲去世前一天，我还与我的女儿一起在她面前踢毽子，逗得她哈哈大笑，这个画面却永远定格在我的脑中，成为我与母亲在一起的最后的欢乐时光。

　　我尚且痛不欲生，我的女儿，天天赖在母亲身边，对母亲的依赖甚于对我的依赖的我的女儿怎么能够承受！我们没有让女儿马上见到母亲去世的场面，让她照常上学，在邻居家住了两个晚上，到第三天的时候，让她到了母亲的家里。记得当时我们都守在灵前，女儿跟着一个邻居进了门，看着家里不同于往常的情形，看着满屋子的人，她不知所措地说了一句：我回来拿我的书……然后一个人进了她的房间。我想她是吓坏了，我跟进去抱紧了她，她一下子在我的怀里哇地哭了出来，我哭了，父亲哭了，妹妹她们哭了，在场帮忙的人也都跟着哭了。那几天，女儿一次次扑在灵前大哭，凄惨地喊着"姥姥……姥姥……"女儿哭一次，围观的人跟着哭一次，她引哭了好多人，大家在心痛善良的母亲去世，更在心痛我的女儿失去了最亲近的最疼她的姥姥。

　　母亲走后我住在母亲家里照顾了几天我的父亲和女儿，好几次女儿放学后进院门先喊一声"姥姥"，往往一声没喊完就戛然而止。母亲在世时，女儿每天放学回来习惯喊："姥姥，饿死了！"到后来母亲与女儿形成默契，女儿进院门一喊"姥姥"，母亲马上迎出来接一句"饿死了"，随之饭菜便端上了桌子。喊了好几年，猛然一下子女儿都收不住，以为姥姥还会笑盈盈地迎上来接一句"饿死了"，却是永远都没有了，永远不会再有了。

父亲说，我的母亲在世前他都没有好好照顾过我的女儿，母亲去世时孩子的表现，让父亲对女儿产生了怜惜的感觉，他觉得女儿是一个很有心、很善良、很知道跟人亲的孩子。母亲去世后我们提出把孩子领回来由我们照顾，父亲不同意，他说是怕我们不会照顾孩子。我们知道这是一方面原因，另一方面原因还有母亲去世后，我父亲也依赖我女儿。父亲接过了母亲教育女儿的接力棒，用更科学的方法抚育女儿，使女儿身心健康成长。

我是流着泪写完这篇小文的，这里我感谢我的父母对我女儿的抚养照料。在母亲祭日即将到来的时候，我记录下这点点滴滴，祭奠我的母亲，以告慰她的在天之灵，我们安好，我的女儿安好！

11、母亲的祭日

今天是妈妈离开我整整 7 周年的日子。之前我就在做着妈妈祭日的准备，好像也没有悲伤在其中。但是，在结束了祭奠，我一个人在家，并且稍稍喝了些酒的情况下，我嚎啕大哭了，哭得肆无忌惮。

说实话，7 年前的今天，妈妈去世的日子里，我没有哭泣，或者说很少哭泣，我把自己总置身事外，更确切地说，我从心里排斥妈妈离我而去的事实。妈妈去世得太突然，我跪在妈妈灵前的时候常有些恍惚，觉得灵棚外面忙忙碌碌帮忙的人群中，其中就有一个是我妈。所以我的哭泣常是别人引起的，比如我女儿撕心裂肺的哭泣使我明白妈妈与我真的阴阳两隔；比如帮忙料理丧事的亲朋的催促，当应该哭泣的时候我漠然的表情，总引来他们的不满：女子，去世的是你妈你为什么不哭?

但是从此后我变得非常脆弱，非常喜欢哭。我一直认为我的眼睛很硬，轻易不为别人流泪。自从妈妈去世后，遇到丧事我就会随着当事人而哭，看似在哭别人，实则在内心深处，我是在哭我可怜的早早离我而去的妈妈。

我无论如何都不会想到妈妈是这样一种方式离我而去。七年前的今天下午，我正在忙工作的时候，妹妹打电话说，妈妈病重住院。我就赶紧找车回去看望。路上，妹妹又一个电话打来，说是直接回家吧，妈妈已经回家了。我不敢多问，从心底里我知道妈妈可能已经不再能够对着我发出亲昵的微笑了，可是我在本能地排斥这种想法，我故作轻松地与送我的同事调侃，我希望妈妈真的是病情很轻，不需住院而回的家。到家后，许多人在忙碌，把我妈妈家客厅的沙发挪到院子里，然后我木木地走进妈妈的卧室，许多妈妈的生前好友围在妈妈身旁。我坐在妈妈的床前抚摸着妈妈苍白的脸，将着妈妈的头发，心里想着妈妈只是昏迷了，很快又会发出那种爽朗的笑声了。这时候有人过来劝我：节哀，沉住气，不要难受。我这时真的意识到问题的严重了，真的明白了这个躺在床上的我的妈妈已经因为脑溢血抛下我们而去了，悲恸从胸腔发了出来……

转眼已经 7 年了。这 7 年里，时不时地悲痛就会舔舐着我的心，我真切地感受到了我没有了妈妈。于是无数个寂静的夜里我因为想念妈妈而泪湿枕巾，无数个噪杂的日子里，我因心灵无处依靠而偷偷哭泣。就像我一个同学父亲去世后，她说：我心疼呀，我心疼得整夜整夜无法入睡。父母，带给自己生命的人，把所有的爱和希望都寄托于我们做子女的人，一辈子只是付出，还没有享受到我们的任何报答就走了，怎能不让人的心生生地揪疼！

逝者已矣，生者奋发！

悲痛留在心里，我们还当走好我们的路程，我们还当完成我们为人父母的责任，我们还当振作起来做好自己的事情……

12、夹层中的快乐

又是一年中秋至，又是合家团圆时。

以往的中秋节我们都是这样度过的：孩子放假，然后我们携孩子去往村里公公婆婆的家，一家人酒足饭饱之后坐在院中聊天赏月，月满中天之时，我们踏着月色返回家中。

而今年的中秋却因为孩子没放假不能共享全家团圆赏月的愿望。但孩子是我们心头永远的牵挂，而父母已经年老，陪着他们度过每一个节日不仅是我们的愿望，也是父母的期盼，孰重孰轻无法割舍。

于是，与丈夫商量之后，把我们的时间分割开来，上午我们带着剁好的饺子馅以及过节用品，去村里陪父母吃中饭，下午再去往给孩子租住的家与孩子吃晚饭。我开玩笑说：上午妈，下午娃，就是没有咱。

　　说完这话我就自己先笑了，因为对于这样的安排我没有觉得一丝的不快和劳累感，反而满心是轻松，说明在这样的安排中我感受到的是快乐，是愉悦。我们虽活在上有老下有小的夹层中，我们却很享受其中的快乐。

　　人说，有妈的孩子像块宝。不论多大年龄，在父母的面前自己永远是孩子。年龄越长，我越明白这样一个道理，世界上所有人对自己的爱都不如自己的父母，这是一种最无私的最没有功利色彩的爱。孩子成功了他们感到骄傲，逢人就想夸奖。如果孩子并不成功，甚至落魄，他们依然不离不弃地爱着，付出的可能是更加多的呵护。

　　就像我的公公婆婆，只要知道我们要回去，等我们驱车到达家里的时候，公公一定是在门口等候，而婆婆则忙着张罗饭食。我们在家的时间里，两位老人会开心地告诉我们家里的老母鸡又下了多少鸡蛋，去年嫁接的梨树上结了几个梨，他们的菜地里有多少样蔬菜，他们养的某种花已经盛开了……还会跟我们谈村里最近谁谁谁病了，谁谁谁家儿子娶媳妇了，谁谁谁家的牛生了小牛了，谁谁谁家打架闹离婚了……他们絮絮叨叨地讲述着他们身边的事情，两个老人整天忙于家里地里的事务，再加上他们年老，与人聊天的机会不是很多，我们耐心地倾听着他们的唠叨，陪着他们一起开怀而笑，享受着他们的照顾与呵护，一切工作中的和生活中的烦恼便随风而散，心情如入世外桃源一样轻松。

　　等我们离开家的时候，他们一股脑地把积攒下来的鸡蛋，地里种的新鲜蔬菜以及一些认为对我们有用的物品给我们整理好，只要我们要他们的东西，他们就非常快乐，如小孩子般兴奋。比如我们说村里的胡萝卜好吃，那么下一年他们一定会种更多的胡萝卜给我们准备着。我们走出家门时，两个老人会站在门口，目送着我们的车远去，车已驶出好远之后，我回头依然能看见两个瘦削的佝偻的身影朝着我们的车张望，许多次，我被这样的剪影所打动，觉得这是一幅多么温馨的画面。被我们需要着，是他们做一切事的动力，而我们又何尝不被这样的温情所感动呀，我们又何尝不依赖这样的一种亲情呀。

而我的孩子，她是我们的希望，是我们的骄傲，就如父母对我们的付出一样，我们愿意倾尽一切力量让她活得健康、活得快乐。她从襁褓中的婴儿一点一点在我们的渴盼与注视中长大，逐渐成长为有思想的、很健康、很阳光的高中生。记得孩子小的时候，我希望我的孩子首先是一个心灵健康的人，我常想，我们健康的成长起来了，遵纪守法、循规蹈矩。随着社会的发展伴随而至的还有人们的越来越浮躁，越来越空虚，吸毒、犯罪的人越来越多，我就担心我的孩子是否会如我们一样成长为心智健康的人，让我感到作为一个父母，真是任重而道远。让我感到欣慰的是，我的孩子很好，她有社会责任心，有爱心，有正义感，懂得是非对错。

但她终归还是孩子，无论从生活上、经济上还是感情上都很依赖我们，况且都还没有真正地心智完全健全，还需要我们不停地引导，让她能够一直朝着正确的方向前进。面对她，我有一种责任感，同时我又因为她的依赖而快乐着，确实是的，被人需要着就是一种幸福。

孩子越来越大了，从学校和社会中她学到了许多东西，有许多甚至是我所不懂的。她可以像大人一样与我交流，交流思想，交流读书心得，交流为人处事之道。同时，我们又是很好的朋友，都能懂得对方，有时候我很为她的善解人意而感动。看着我们的女儿成长得这样好我是快乐的，与她在一起我更是快乐的。

无论是老人，还是我们的孩子，在与她们相处的时候，我们都在享受着快乐。谁说处于上有老下有小的夹层中是一种负担呀？我觉得上有老下有小的人才是被爱包围着的人，才是真正幸福的人。我享受这种夹层中的快乐。

13、父母子女间的缘

在这个世界上，所有的缘分综合起来都不及于父母子女之间的缘分，那是一种血脉相连，骨肉相亲的情，是一种任何力量都无法阻隔的爱。

我或者说我们可能都不会记得小时候母亲乳汁的甘美，父亲肩头的坚实，可能也不大理解母亲亲吻我们脸蛋中包含着的多少爱意，父亲严厉责骂背后的多少望子成龙的期待……但自从我的孩子走进我的生命中，我就知道了，我们在孩子身上所付出的一切，都是在重复着父母对于我们的付出。由此，我也理解了父母给予我们的是多么深沉的爱。

我是一个喜欢小孩子的人，当我知道自己怀孕之后，我就一遍遍猜想自己的孩子是什么样子，是男是女，充满期待和向往。生下女儿后，尽管为没有满足喜欢儿子的丈夫的愿望而遗憾和愧疚，但我还是感到了孩子是我的骄傲。虽然我的生活全被这个小东西打乱，我却是那么迷恋我的孩子，喜欢握着她柔若无骨的小手小脚，喜欢看她吸吮乳汁时小嘴的翕动，喜欢感受她在我怀中蠕动的感觉。我总是呆呆地想：这就是我的孩子吗？她就是曾经跟我连在一起的那个小生命吗？

孩子在渐渐长大，转眼就快上幼儿园了，我觉得我就是她人生的设计师，就像所有的父母一样，我想让她成为我希望的人，并且坚信她能行。而现实总是会不断让我们改变方向，让我们变得现实起来。但孩子无论是什么样，或许不是那么听话，甚至很淘气；或许不是那么聪明，甚至很愚钝，我们依然不减当年的爱着我们的孩子，甚至于会付出更加多的爱来对待我们的孩子。我时刻知道，那是我的孩子，独一无二的我的孩子，与我流淌着同样的血脉的我的孩子。

我们看待孩子的眼神中永远有一丝骄傲在闪耀。孩子长胖了、长高了，我们骄傲；孩子有了哪怕一丝进步，我们骄傲；孩子懂事了，我们骄傲；孩子做了一件意想不到的事情，我们骄傲……如果我们的孩子正好就是那么优秀的，长得高大帅气，柔美漂亮，学习出类拔萃，能力出人头地，心地善良，品德高尚……那么我们更是充满骄傲地向人宣布：瞧，那就是我的儿子，那就是我的女儿！

近来，我不止一次地问过许多父母这个问题：你为你的孩子骄傲吗？因为我总在受感动，看着高出母亲一截的儿子依恋着母亲，我会为这个母亲而骄傲；看着挽着父亲的胳膊散步的美丽的女儿，我会为这个父亲而骄傲；看着考上大学的孩子，我会为他们的父母骄傲。尤其我看见高大的丈夫回到他父母的家中，细心无微不至地关照孝敬他的父母，他的父母张开没牙的嘴，满脸的皱纹扩散开来，绽开像盛开的菊花一样的笑脸的时候，我更是受到感动，这是一个多么令他父母骄傲的他们的儿子呀！

我的女儿已经成为一个高中生，是一所重点高中的学生会主席，在班里还是班长，那么有个性，有自己的思想，但我依然能感受到她对我的依赖和爱。我们像朋友一样交流，以至于女儿会用一种调侃的语气说我是"傻瓜"，会笑着用手点着我说"你怎么一点也没个当妈的样子"，我们会为一句话笑成一团。我想，再没有一种朋友会这样交心，这样默契，这样不计较得失，这样的缘分哪里去找？只有父母子女之间！

是的，在父母眼里，孩子就是"我的"，我生的，我养的！血缘的线已经将父母子女牢牢相牵。人说："百年修得同船渡，千年修得共枕眠。"记得有人说过，同船终有时，共枕也有期，只有这父母子女的情绵绵无绝期，生命不止情不止，恐怕万年也难修来吧。

因为深切的懂得了这样的缘分是如此的深沉，所以，我很想说，生我的我的父母，我生的我的女儿，拥有你们，我的生命才变得完美。我们共同珍惜这份人间最重的缘。

14、女人生命中的两个男人

女孩儿爱美，尤其是结婚时，多冷的天都要穿婚纱，露着两只胳膊，我们这些穿着棉衣旁观的人看着直打哆嗦。即将走出生活了20多年的家，穿婚纱与亲朋好友照相留念自是少不了的程序。首先是全家福，奶奶爷爷姥姥姥爷父母姊妹凑一起需要一点时间，旁观者看不下去了：看把新娘冷的，快点！这句话刚结束，有两个男人同时在脱外套。

　　哪两个男人？我把这个问题提出来让我的女儿猜，女儿没加丝毫考虑便说：一个是她爸，一个是她的新郎。说实话，看着这两个急于脱外套的男人，我的眼泪夺眶而出。我被深深感动了，这个女孩儿好幸福！

　　父亲、丈夫，这就是一个女人生命中最重要的两个男人，有这两个男人的呵护，女人的一生才是完整的。

　　丈夫常爱说的一句话说：妈是娃的精神，爸是娃的胆。所以放了星期假只要有时间，他一定要去陪陪女儿，他说：我要让娃感到，她的背后有她的爸爸给她撑腰呢。

　　都说父子是前世的冤家，女儿是父亲前世的情人，可能是因着这个缘故，我们能时常看到父亲与儿子怒目相对，而说起女儿，许多的父亲眼睛里都放着光。我喜欢并且时常会看到这样的情景：父亲的一只大手牵着小小柔柔的女儿，满眼里都是柔情。

　　对于女儿来说，父亲，是她生活中的依靠；父亲是一座山，一片海，宽厚而豁达，是第一位人生老师，无论是严厉或者慈爱，他的爱应该是享受不完的人生财富。女儿牵着爸爸的手，黑夜也不会再害怕；牵着爸爸的手，就算冬天也不会再冷；牵着爸爸的手，从此学会坚强和勇敢。

　　记得我上师范时，学校离我家四五十里路，那会儿公交车少，并且不能到达要去的地方，父亲就骑自行车接送我。那时候我少不更事，不懂得这里面包含着父亲的多少爱，只是认为本该如此，心安理得地坐了一趟又一趟。后来我再没反思过这个问题，今天坐到这里写这篇文章的时候，我的心中充满了对父亲的感激。

　　女儿就在父亲的这种呵护中一天天长大，出落成大姑娘，直到一天要嫁为人妻。我听说过也见过许多父亲在女儿出嫁时泪流满面，即使就离家不远，也依依难舍，他们总会这样用语言或者是行动向新郎交代：我的女儿就交给你了，你要善待。

从此，女孩就成了女人；从此，女人的生命中就多了一个男人，一个也许不善言谈，也许看似不温柔，也许依赖心很强，也许大男子主义，也许……但是这个男人走进了女人的生命中，是在用心呵护着自己的女人，无论贫穷、富贵、病残，都不离不弃地在她身边爱她、保护她。男人的肩上就担起了对女人的这份推托不掉的责任，成为女人生命中不可缺少的依赖。既然成为了丈夫，他就会带着这份责任去勇敢面对人生和命运一次又一次的挑战。虽然平淡的日子里，他和自己的女人缺少了爱的激情与浪漫，但他们建立起来的亲情是任何人所不能替代的，他会始终坚定地站在她的身旁，给她一份安全感。跟着这样的一个男人，她的心里是温暖的，她知道，这个男人总会出现在她需要的任何时候，然后轻轻地说：放心，我在这儿呢。

女人生命中的这两个男人——父亲和丈夫，是女人一生的支柱。

15、永远的依恋

与一朋友聊天，问起吃的什么饭，他说：吃的剩饭，跟母亲一起吃的。这句话竟让我受到触动，心里柔柔的，想象着一个大男人跟老母亲一起吃剩饭的感觉是什么样子的，应该别有一番温情吧。

人不论长到多大，在父母的眼里都是孩子，而父母永远都是孩子心灵的依托。

我的父亲就好像觉得我永远都不会保护自己，他几乎天天打电话嘱咐我：要保重身体，要吃降压药。我身体有什么不适都不敢告诉他，他说过，他现在很脆弱，听到我们哪儿有问题，他会哭的。还有对我孩子的教育上，他从不放心我，他觉得我孩子的成绩好坏与他有关，不好了是他的失职，好了是他的骄傲。女儿成绩优秀了，当了班干部了，进了学生会了，都会成为令他感动、让他吹嘘许多天的事情。女儿上初中的时候，父亲几乎每天都会根据孩子的各种状况，给孩子写一个小纸条，或鼓励，或表扬，或批评，或指导，或一句人生格言，或自己一段心得，孩子的身心就在这样的教育中健康成长。

丈夫工作忙，很少在家里吃饭，但是如果有一顿饭他可以腾出时间的话，一定是回村里与他父母一起吃。在他父母跟前，他就像一个撒娇的孩子，回家就坐在炕头上，让他妈给他倒水，给

家里的自留树。祖祖辈辈，核桃树就是村民的希望，香甜饱满的核桃换来了一家的油盐酱茶，换来了学生的纸笔书本，也带来了富裕的新生活。

他做饭，指手画脚，他妈总是乐颠颠地满足他。他还对他妈明知故问："我回来就让你伺候，你嫌麻烦吗？"答案当然是可想而知的。他说，回去让妈伺候，是为了让妈高兴，让妈感觉自己还有用，找麻烦也是一种孝顺呢。我同意，我看见了公公婆婆特别欣慰的笑脸。但是，我感觉到，与其说他父母依赖他，不如说他父母更是他的依靠，在父母的面前，他享受着宠爱，享受着亲情，那是任何人都无法取代的呀。

就像我的朋友，他说，他母亲得了老年痴呆，不会表达，但是见了他就笑，在她的世界里，儿子就是天，在儿子的心里，母亲何尝不是一大笔精神财富呢？能与老母亲一起吃饭，真是一件很奢侈的事呢，珍惜这份亲情吧。

写到这里，我哭了。亲情真的可以让人变得很脆弱。人到中年，父母可以陪伴我们的时间很有限的呀。当我们还能够给父母一些爱的时候我们抓紧吧，当我们还想享受父母的爱的时候，也抓紧吧！

二　夫妻的缘分

1、夫妻的缘分

经过了 40 多年，也见过了许多生死别离。年轻的时候把这些看得很淡，觉得死亡同出生一样正常，现在的心态却是大大不同了。怕听死亡的消息，尤其是怕听到相熟的人，或者曾经相熟而多年不见的人的去世的消息，而更不愿听的是正值壮年的人离开人世的消息。因为这类消息背后传达的是一个幸福的家庭破碎的事实，意味着有一个人要孤单走完余生。

每每听见说谁的老婆或者谁的丈夫去世了，我的心就揪在一起，那样活泼泼的一个人怎就这样离开了？怎就放下自己的亲人永远走了？为此我总感叹：每对夫妻间的缘分有多长？到底是老天在决定吗？曾经心手相牵时约定是白首到老的呀！

都说百年可以修得共枕眠，我觉得这远远不够。大千世界，茫茫人海，"于千万人之中遇见你所遇见的人，于千万年之中，时间的无涯的荒野里，没有早一步，也没有晚一步，刚巧赶上了……"然后就与你生死相牵，命运相连，无论身在何方，只要与你一起，"此心安处，便是吾乡"，所有的漂泊苦难都是幸福。我不相信千年万年的修行可以得到此情此境。

因为这样的缘来之不易，因为这样深的缘容不得人轻易去割舍，所以我希望这缘分可以长长久久，直到彼此生命的终结。前段时间闻听一对80多岁的夫妻同时在家煤气中毒死亡，许多人在扼腕叹息之时，心头也充满了对这对老人的羡慕，这样的高龄，幸福苦难都享尽了，身后事都交代完了，虽然不是同年同月同日生，却真做到了同年同月同日死。对于他们，真是一种幸福，而这样深的缘也真是一种至高境界呢。

我们对于自己的婚姻觉得是很自然的事情，不大深思"我怎么就跟他一起了"这个问题。我也如此，但是有时候我看着丈夫就发呆了：这就是跟我相守一生的人吗？每想至此，我就觉得丈夫异常亲切，不由得就会走近他拉一下他的手，弄得他很诧异，

村边的池塘。如诗如画的小村庄，令人迷恋的地方，就连村边的这池碧水，也让人心驰神往。

但也能回报我以轻轻地一握，这时一股暖流就由心底生发而出。而丈夫，有时候也会把我的头揉来揉去，发出这样的感叹：你怎么就嫁给我了呢？我想每逢这时，他一定是在感叹这缘分的来之不易。

每个人从来到这个世界就注定有一个这样的缘分在等着你，这个人可能跨越千山万水也要与你相遇。我歌颂这份缘分，我愿这份缘分伴随着我们每个人一生。

2、这就是爱

丈夫出差了，孩子出去上学了，一个人在家真的有些孤单了。

最近感情有些脆弱，动不动就想哭，今天就有这种心情了。

说实话，以前隔一段时间我都希望丈夫出次门，我可以自由自在地想做饭就做饭，想不做就不做了；可以想上网、看书到几点就到几点；可以想跟谁聊天就跟谁聊天……总之，可以放松心情好好享受。

但是今天，他才刚刚离开我就想他，以前他不在家时感觉到的是自由，现在的感觉是空旷寂寥。给他收拾行李时，我就说了一句话：你出差了，我的心空落落的。他笑了笑没有回答，可能他觉得我的表现有些酸。

我一个人坐在电脑前，使本来就索然无味的感觉更加强烈，呆呆地想他。

刚才，他离开家门时，司机上来拿他的行李，我把他们送到门口，不由自主说了一句话：你慢走，我不下去了。他接口说：

您留步，不要下来了。说完我们都笑了，是的，我有些像客人离开我家时说的送别词，他有些像从别人家串门出来对主人说的客套话。这样的对白增加了许多情趣，削减了一些我的失落感。我笑着看着他的背影从楼梯上消失。

一次我和单位许多同事去他所在的乡镇办事，他知道我们到来，跑到楼梯上迎接我们，我一马当先走在前面，我们见面后，都很默契地伸出手来握在一起，像客人一样寒暄，我说：书记好！他说：法官好，法官辛苦了！弄得紧随我后的一个女同事不知所措，不知道该握手还是不握手好。

这是逗趣，我们还时常斗嘴。我从他嘴里问出句话来很难，比如，我问他在哪儿吃的饭，他会说：饭店。我再问：什么饭？他说：晚饭。我再问：跟谁一起？他说：一群人。我问：什么事？他说：大事。我很是不甘，他说：你看，我的回答没有什么错误吧？首先我是真诚的，有问必答，其次我没骗你，说的全是实话。我语塞。是啊，问半天跟没问差不多，我干脆什么也不问了。呵呵，以前我斗不过他，现在他稍一疏忽，我还可以占次上风。不过他这种人是铁嘴，死不认输，明明已经败到下风，无言以对了，依然嘴硬地说：看看，看看，说不过我了吧？弄得我气急败坏地找他论理，好像我成了输家，每到这时，他都会哈哈大笑，一副落入他的圈套的自得，我才明白上当受骗。

我们还时常斗力气。他长得高大，总会依仗这一优势对我发起进攻，比如他会乘我不备猛然举起我，弄得我吱吱哇哇乱叫，这时他总会问：你错了没有？我说没有，他会继续晃悠，我说错了，他会问我错在哪儿了，常常把我折腾得七荤八素才肯放下，放下后又会得意地嘲笑我没有骨气，明明没错还承认错误。比如他还会把我反按到床上，然后问我怕不怕，我得再三求饶他才肯罢休。比如他会稍喝一点酒后满家里追着我闻他嘴里的酒味。当然，随着我越来越胖，他越来越笨拙，他想这样折腾我就费力气了，呵呵！

在我的印象中，我们就没有真正地为某件事生过气吵过嘴，不开心顶多不说话，在开心的日子里，家里总是笑声，我们忙着互相讥笑，互相嘲讽，斗智斗勇。有过我说着说着说不过就哭了的时候，他就会开心地大笑：哈哈，不识逗，傻瓜！

随着年龄的增长，我越来越认识到，这就是爱。当他骂我"丑婆娘""笨猪"的时候，他的眼睛里有爱；当他嘲笑我的笨拙，我的脆弱时，他的心里有爱；当他把我举起来让我求饶的时候，那是用行动表示出来的爱。

3、风雨同路人

西湖美景三月天，春雨如酒柳如烟，许仙和白娘子站在船上痴痴相望，船工和青蛇一唱一和：十年修得同船渡，百年修得共枕眠。很美的景色，很动听的唱词，道出了人生的一个"缘"字。

佛说：前世的五百次回眸才换来今生的一次相遇。那么要多少次的回眸，才换得人海茫茫中的两两相望，两情相悦。茫茫人海中得与相遇，分明是千年前的一段缘；无数个偶然堆积而成的必然，怎能不是三生石上精心镌刻的结果呢？

每每看见白首偕老的夫妻，我就感慨万千。曾经他们也是风华正茂，时光的年轮在增加的同时，两个青春年少的人儿，在相看两不厌的对视中，在今天重复着昨天的日子里，华发不知何时添了无数，皱纹不知哪天多了几丝，步履不知何年变得沉重，而心就在这不知不觉中拉近了距离，不分了你我。

真的，就这样两个人，每天互相看着，看着，就从青年看成了中年，再从中年看成了老年，一晃几十年，回忆往事觉得很遥远，可是许多场景又恍如隔夜。这几十年的经历中，有共享甘甜的幸福，也有同承苦难的艰涩；有过争吵，有过欢笑；有过不能相容，有过相濡以沫；有过厌倦，有过依恋；甚至有过背叛，也有过对过错的谅解……风风雨雨，两个人已如将两块泥用水和在一起重新捏塑而成，你中有了我，我中有了你。

有这样一个人相伴着的日子，或许感觉不到有什么好来，但许多人都是直到失去这个人的时候才知道，这个人是如此深地驻在了自己的心中，扎根在了自己的灵魂里。有的夫妻终其一生都少不了吵吵闹闹，等到没有吵闹了就会发现，世界太宁静了，太寂寞了，就像顶级拳王没有了对手，郁郁寡欢。一生中只有这样一个人可以让自己肆无忌惮袒露无余的面对，包括父母、子女、情人、挚友都不能，都会有保留。

风风雨雨几十年，同路走来，这需要几世的修炼才可以有这种缘分呀？谁能说同床共枕一生一世的夫妻不是千百年修得的缘！

4、我会抱你到80岁

他们结婚快20年了，她觉得，一切都平淡了，任何事情都成了程式化的东西，大家都在默默地忙着自己的事业，都在以这个家为轴心在努力。

她不能确定，做了这么长时间的夫妻，他是否烦她。因为他把她气哭了，他不哄不理，倒头就会呼噜声响起；因为他总是取笑她丑，说他娶她是在扶贫；因为他总骂她笨，说他的脚都比她的手灵巧；还因为他做什么都比她强，除了事业做得好外，包括做饭做家务都非常出色；还因为，她缠着问他是否爱她时，他坚决地说不爱，引得她哭了鼻子；还因为家里喋喋不休说话的总是她，家长里短，单位的事，工作的事，好事坏事都告诉他，而他很少给她讲他工作的事情，很少讲他不顺心的事情……

但让她感到温馨的是，多少年了，他们清晨起床时都会互相拥抱一下，不管前一天是否吵过架，无论心情是否愉快，这个拥抱让她很依赖。一天她问他：你到什么时候就不抱我了？他正儿八经地回答：到80岁。

他这么正面回答问题的时候太少了，每次听他说话她都不知真假。他每次拥她入怀的时候都会调侃："丑婆娘，放到街上都没人要"，或者"幸亏是我胆子大，要是别人抱着你会作恶梦的"。因此这句话首先让她一愣，她突然很想哭，这句话胜过多少句廉价的"我爱你"呀！这是一种生生世世的承诺。因为他们聊天时，他说他最向往的就是像他的父母一样，两个人相伴着走到80岁。

其实，她也并不是完全不了解他在乎她，在乎这个家，她只是希望他用心地告诉她一次，尽管是这样的方式，也让她兴奋到想告诉别人，让周围的人分享。

她明白，他骂她丑、笑她笨，都是在开玩笑，否则她不会在他许多次这样骂她的时候，她心里涌上的不是懊恼，而是一丝温暖；当他烦恼失意的时候，他仍然会高高兴兴回家，或者默默地一个人呆坐着，而不告诉她，他是怕她跟着心烦；他从来没有嫌弃过她的笨与懒，手把手地教她做饭、做家务，包括缝袜子，那是他在包容她的笨拙。

近20年了，他们建立起来的绝不是海滩上的沙子堆起的房子，一个浪头就可以冲垮，那是比钢筋水泥夯筑的更牢固的感情，是血肉与灵魂浇注的亲情。

我会抱你到80岁！我喜欢这样的承诺，我感动于这样的情感。祝福他们！

5、啰里啰嗦的爱

当你生病的时候，总会有人这样抱怨你：怎么回事？就不知道爱惜自己，赶紧看病！或者一再叮咛：吃药了吗？不行，赶紧吃药！然后一遍一遍提醒你如何照顾自己。遇到这种情况，我们时常会不耐烦地打断：知道了，我会照顾自己，这样啰嗦！

当你有点麻烦的时候，他比你还着急，反反复复替你出主意、想办法，一次次地要求对你提供帮助，生怕你自己解决不了这个问题，有时候怕你烦，还通过朋友了解你的情况，弄得你哭笑不得。

还有，当你心情不好的时候，他会不顾作为出气筒的危险，陪着笑脸宽慰你，小心翼翼地劝解你，你想安静，但是他总在你跟前晃悠，你觉得好烦好烦。

这样说吧，这个人时常会在你跟前喋喋不休，你犯了错他会批评你，你做了好事他会表扬你，你不舒服他会开导你，他会管你穿得暖不暖，他会问你吃得好不好，他认为你需要帮助的时候就会出现在你的周围，你出趟门他会问候到你安全归家……

有时候你会觉得烦躁极了，大声嚷嚷：请你不要管我好不好？！我会照顾自己的。

毫无疑问，这个人会是你亲近的人，或许是父母，或许是朋友，或许是爱人……

因为他是你的至亲或者至爱，你总会不顾忌他们的感受，会为所欲为地发泄你的不满和你的怨气，尽管好多时候你的不顺心与他没有任何关系。

但是，当你遇到困难的时候，当你失意的时候，当你高兴的时候……总之有什么事情你还是会不自觉的想到他，告诉他，让他分享你的快乐，让他为你出主意，想办法，他就是你的救火队员，随时会听从你的调遣。即使你在寻求他的帮助时，对他不厌其烦的啰嗦声你还是可能用不耐烦的口气打击他、训斥他，觉得他真是啰嗦。

不过，过后你会后悔，觉得这样对他很不公平，觉得对不住他，觉得他可怜，就会有些心酸。可他对你的态度好像从不在意，你训斥也罢，道歉也罢，他依然固我，做自己的事，尽力关照你。

孩子小时候跟着我妈，记得我妈去世前一天，因为孩子吃饭挑食，妈妈唠叨孩子，教育孩子吃这吃那有什么好处，孩子大声跟妈嚷嚷，并且对着我说：妈妈，你看姥姥这么啰嗦，真是讨厌！妈妈在旁哈哈大笑，一点都不介意孩子的态度。妈妈去世后，我问孩子：你还能见到啰嗦的姥姥吗？你还能听到姥姥的啰嗦吗？孩子哭了，孩子的哭让旁观者动容，不忍再看。我知道，在孩子的心里，明白姥姥的啰嗦是爱了，她希望永远能够听到这种啰嗦的唠叨呀。

其实，每天有耐心对着你啰嗦的人才是真正爱你的人呢。试想，如果对你漠不关心的人会对你关注这么多吗？如果你有一天不听到这样的声音有没有感到短缺？

你尽管会对他发火，尽管会对他的关注、他的唠叨厌烦，他仍然不会改变他的态度，当下次出现情况时，他依然会啰嗦到你耳朵长茧。

这就是啰里啰嗦的爱，因为爱你而会整天对你啰嗦，而你能做的只有珍惜，只有理解，并且付诸爱。

6、你走进了我的生命才使我如此担忧

不知从什么时候起我添了一个毛病——胡思乱想，比如丈夫应该回家了没回来，凑巧还打不通电话，我就要乱想，乱担心，担心他出了什么事。

在我记忆中，我第一次出现如此担忧的心情是在 1995 年的腊月二十八。那天的雪好大，丈夫却一心想买一个冰箱，不顾我的阻拦，他租了一辆三轮车到几十里外的地方去买。山路弯弯，再加上雪大路滑，三轮车安全性能不强，从他离开家我的心就一直在提着，祈祷着他平安归来。在我的焦急等待中，天色暗了下来，时针滴答滴答，我的心一揪一揪地提着，我在我家的巷口眺望一次又一次，已经晚上 10 点多钟了依然没有他归

来的身影。那时没有通讯工具，无法联系，在冰天雪地里，我虽然如雕塑样站立远眺着，心里却是翻滚着、煎熬着，担心他有什么不测。直到 11 点多看见他从三轮车上走了下来，我提着的心才放了下来。

在我的记忆中，父亲时常这样等弟弟回家。作为男孩子在外边玩的时间长些，弟弟什么时候不回来父亲什么时候不睡。往往过了 10 点父亲就急了，尤其是弟弟开车或者骑摩托车出了门，父亲尤其焦躁。父亲在家里踱来踱去，时不时出院外张望一番，怒容满面，一个人嘟嘟囔囔地骂着弟弟，这时候我们都大气不敢出，生怕他迁怒于我们。按照父亲的这种生气程度，我们认为弟弟回来肯定少不了挨骂，我们都替弟弟捏着一把汗。但是不是的，弟弟一进门，父亲紧绷的脸马上就松弛下来了，甚至还会和缓地嘘寒问暖。等到我知道为一个人这样担忧之后，我才明白了父亲在弟弟没回来的时候他有多么的担忧。

我常告诉自己不要总是胡思乱想，不要本来没问题还被自己想出问题。可是这真不由人，丈夫出了门不报一声平安我的心总是悬着，丈夫出门如果没有按时归家我就不由要生出种种吓唬自己的想法。记得一年丈夫出门，根据正常的速度，下午不到 6 点就可到达，但是却迟迟没有他的消息。于是我打他手机，每次打过去都是一种声音：您拨打的电话暂时无法接通。按照我当时的逻辑，如果他的手机是没电了应该说：您拨打的电话已关机。如果是无法接通，那就是他到了一个没有信号的地方，这样想着我越加着急了，就想着他坐的车是不是出了什么问题等等，自己吓自己。我就到处打电话给可能知道他行踪的人，大家都表示不知道。我就守着电话机，疯狂拨打他的电话，直到 10 点多钟他的电话接通了，他劈头就来了一句：你疯了？我的手机没电了，我刚吃完饭回到宾馆充上电就这么多信息，你发动了多少人找我？说完他就挂掉电话。这时候我的眼泪夺眶而出，不为别的，只为他一切平安。这就足够了！

类似的事情时常折磨着我越来越脆弱的神经，该有信息的时候没有信息，该出现的时候没有出现……这些都会引发我的担忧，引发我的胡乱猜想，想着想着把自己吓一跳。是的，我想我是因为太在乎所以才会这样担忧。我感觉都不会抱怨了，只有担忧，就像我父亲对待弟弟一样，只要对方安全，自己的一切委屈都可以化为乌有，何谈不满和抱怨呀！

这种看似无谓的担心包含着浓浓的爱，越是爱之深越是忧之切，不要把我对你的担忧当成诅咒，是因为你走进了我的生命才使我如此担忧，除此还有别的解释吗？

7、平凡的幸福

在这样寒冷的天气里，又看到我的同学骑着摩托车载着老婆出发了。

他们夫妻都在一个乡镇中学教书，同时又开着一个家电修理部，利用业余时间修家电，骑着摩托车走村串巷上门服务或者去安装电视信号接收器（咱们俗称的"锅盖"）。由于两口子实诚，手艺好，服务到位，倒是生意兴隆。

就是苦。走进他们的家，新的旧的、成品的与半成品的家电，以及一些配件到处都是，弄得家里脏兮兮的，还有一股怪味。有一次我进入他们家时，他们一家人就在这样的环境中，说说笑笑地吃着简陋的饭菜。

还有他们的脸和手总像洗不净似的，黑乎乎的，显得肮脏、苍老。我记得 20 年前他们刚结婚时，我还感叹过他老婆的漂亮，20 年的时光让她昔日的风采荡然无存。

但无疑他们是快乐的，幸福的。他们几乎形影不离，他的摩托车背后好像永远坐着她。有一次给我婆婆家安装"锅盖"，他们各拿一个对讲机，他爬上房顶安装，她在下面调试电视机，两人配合非常默契。她看他的眼神中充满了崇拜，而无论多累，他也从未对她发过火。

今年正月十五晚上我看到了他们，他用摩托车载着她，他们一人戴一个头盔，骑行三四十里地进城来看放焰火。当时我心里有点笑话他们：真是爱凑热闹！但是现在我从心底里羡慕这份平凡的幸福。是啊，寒冷的天气没有阻挡他们的浪漫，艰苦的生活没有磨掉他们的爱情。

谁说这不是一种幸福呢？我们身边有多少人都是在这样生活着，他们的生活固然艰苦，他们的生存环境固然差强人意，有些人可能处于最低层，但他们同甘共苦，在他们的世界里享受着他们自己的快乐。

我们何尝不也都生活在幸福中呢？出门时的一声叮咛，生病时的一杯热水，一句善意的玩笑话，一个关怀的眼神……只是我们忽略了自己身边的这些平凡的琐碎的幸福而已。

我们总在羡慕惊天地泣鬼神的爱情故事，我们总在期待轰轰烈烈的幸福降临。实际上，我们最应该珍惜的，就是身边的实实在在的幸福，平凡的幸福。

8、用眼睛看和用心感受

她与他结婚20多年了。他说，他一辈子就没有感受过爱。

他们是经人介绍结婚的，为了双方父母，他们走在了一起。她的脾气很倔、很硬，还喜欢认死理，这一切在他看来就是蛮不讲理。因为她的这个脾气，她与他的父母没少发生吵闹，她与他的兄弟姐妹也很不睦，矛盾升级时，发生过肢体冲突。他夹在中间很为难，实在气不过了，少不了要打她一顿。

他是一个传统的人，并且为了孩子，他一直选择隐忍。在磕磕绊绊中20多年就过来了，好在一切都好了，孩子们很优秀不用操心，他的事业也蒸蒸日上。唯一让他不满意的还是她的脾气，眼看着50岁的人了，还是那样不温柔的性情。因为一点小事就与他闹，一闹起来就是一半个月不说话，家务不做，饭也不给他做。在平时，没有什么不愉快发生时，两个人也好像没什么多余的话可说，基本上除了吃饭吧，睡觉吧，换了衣服给你洗洗吧等等之类的话，很少聊天。

直到有一天他遇到了她，她会每天早晚问安，他出差在外，她会嘱咐他保护好自己，不要这样不要那样。他们在一起时，她会轻柔地抚摸着他的脸，让他感受到了久违的母亲般的温暖。他们有聊不完的话题，从工作到生活，到为人处事，到家长里短。在他眼里，她是那样的善解人意。他认为，这辈子他总算找到了真爱，幸福如花儿一样绽放。

作为他老婆的她很少出门，有一次有事她出门一周，回来一进门就说了一句话：你瘦了！他说，我还不是那个样子呀，没有瘦。话虽如此说，他还是去称了一下体重，结果吓了自己一跳，冬天了，衣服越加越多，体重反而少了 5 公斤。他也感觉自己近来身体不是那么舒服，工作上的许多事情不顺，压力也很大，没想到会瘦那么多。

然后他问红颜知己的她，他是不是瘦了。她前前后后上上下下看了看他说，没有呀，还不是跟以前一样？只是头发长了需要理理，这件衣服脏了需要换下来洗洗。

他的心里突然受到了一些触动，自己几天来明显的消瘦她竟然没有看出来，而老婆一眼就看出来了。这让他明白了一个道理：老婆是用心在感受他，而红颜知己是用眼睛在看他。

在这件事之前，他曾多次扪心自问，他能不能放下老婆与红颜知己度过以后的日子？即使在他与红颜知己醉享温柔的时刻，

心路。我最喜欢这样的小路，常常幻想，一个人走在落叶满地的小路上，远离喧嚣、噪杂，内心充实而宁静。在别人看来是孤单，在自己却是在狂欢。

他的答案都是，不能！老婆有那么多的毛病，但他就是割舍不下。

20多年相濡以沫的夫妻，两个人从一无所有，共同努力走向现在衣食无忧的日子，其间经历了许多的磨难。为了弥补微薄的工资，他们起早贪黑摆过小摊，他们长途跋涉贩过货物，她整夜不睡为别人做过衣服……这些厚重的日子叠加出了他们任谁也拆不掉的亲情。虽然两个人没什么话可说，但除了闹别扭的日子，她每天会卡着他回家的那个点给他做上他喜欢的饭菜，他每天连自己的臭袜子都不用洗。有她在家里，他可以不管家务，可以不管孩子，他可以无拘无束自由飞翔。有她在家里，他是安心的。

有些爱是藏在深处的，表面上风平浪静，没有灼热，但却有一个温暖的核，如地热，源源不断时刻散发着热量，这是一种恒温，在这种温度中生活久了，你认为世界本就是这样的，你感受不到这种温度了，你渴望激情，渴望被燃烧。于是你遇到了那种炽烈的爱，你浑身激情澎湃，年轻的感觉又在你身上重现。但是总会有一天你会发现，这种爱只是燃烧在表面的，就像是一捆柴的燃烧，很快会烧完的，很快会冷却下来，冷到你彻骨的寒。于是你想念你的那种不热不凉的温度，因为她不会烫伤你，也不会使你寒冷，这才是适合你的那种让你舒服的温度。

用心感受是真正的爱，是一种发自内心的深沉的关切，这种爱，与你是否发达无关，与你是否漂亮无关，关注的是你的心，是你的快乐健康与否。当你落魄时他不嫌弃，会站在你的身边安慰你，当你成功时，他会真诚祝福你。用眼睛看是一种如浮花一样浅薄的爱，他看你是否成功，是否有钱，是否漂亮，是否带的出去，是否能满足其虚荣心，他可能一段时间是真的在喜欢着你，但终究经不住时间的检验。

9、男人酒后的撒娇

丈夫给我讲一对夫妻打架的故事，内容我记不大清，只记住了他这样一句话：某某本来是酒后跟老婆撒娇呢，老婆当真了，跟他急，结果两个人打了一架……

听了他的话我笑懵了，我第一听说男人酒后在家发赖不讲理是一种撒娇。

丈夫听了我的话，理直气壮地说：男人也要撒娇的！

我揶揄他：难道你酒后在家胡闹也是撒娇？

他说：当然！

我更乐了，一下子感觉他像个孩子，想起他酒后种种胡搅蛮缠，竟然都是应该原谅的，而我在他酒后找我茬的时候认真地与他吵架就显得非常幼稚。

前几天他喝酒回来了，我在看电视，他提了把椅子端端正正坐在电视机前，把电视挡了个严严实实。我假装不在意，我知道，在这种时候我就不能理他，越理越麻烦。他觉得没趣了，也为了让我注意他，跑过来非要坐我正在坐的沙发，把我往一边挤，我又没理他，让开了，坐在别的沙发上眼睛盯着电视看。两招不奏效后，他指着我说：关了电视！我没理他，他来夺我手中的遥控器。这时候我真的忍无可忍了，把遥控器扔到他身上回房间上网了。正巧朋友找我聊天，问我干嘛，我回答：吵架！朋友问：因为什么？我答：他不让我看电视。说完我觉得很滑稽，发完就笑了，朋友也乐了，这算什么事呀？

是呀，这真不是件多么值得让人生气的事，尽管类似事件在我家频繁发生，也不值得大动干戈。

联想丈夫说到的酒后撒娇，我想他就是想让我注意他、跟他说话，或者借酒逗我，其实也是在撒娇呢。在那会儿，我真的认为他是故意欺负我，不由地就发了火。

男人在社会生存，面对的压力要大得多，社会和家庭对男人的要求也大于女人。撒娇似乎是女人的专利，大男人也在撒娇难免让人浑身起鸡皮疙瘩。所以男人采用的办法就是类似于欺负人的办法缓解压力，他再难也不愿意在外人面前自毁形象，只能在家里借着酒劲蛮不讲理、胡搅蛮缠，貌似示强其实是在示弱，把平时不屑于表露或者不敢表露出来的孩子气借酒发泄出来，取得心理上的安慰。

有了这种认识，作为妻子，都要把丈夫酒后的发赖当成小孩的游戏，不与他一般见识，甚至与他一起做游戏，让他尽情地撒娇。

10、独一无二的爱

只要有爱，那么那份爱就是世间独一无二的爱。因为无论付出的或者得到的爱都是独一无二的。

这种独一无二不是指自己的爱多么与众不同，其实，世间的爱并没有什么差别，无论浪漫也罢、平淡也罢，总归是心心相印，魂牵梦绕……

而我说的独一无二，是指，这份爱只属于相爱的两个人，只在两个人的心间，只是相爱的两个人之间的爱情。尽管这份爱并没有脱离俗套，尽管这份爱没有得到大家的祝福，但美好只在相爱的两个人之间。

这份爱或许如夏花之灿烂而短暂，或许会厮守终生，但是在相爱的人心中，这份爱始终是独一无二的，世间没有一份爱同这一份爱相同。

因为这份爱不会因别人的看法而改变。真的，也许你爱的对象是丑陋的，也许你爱的对象是贫穷的，也许你爱的对象在别人看来是没本事的，而你就爱了，爱得无怨无悔，爱得不可理喻，爱得不留后路，但你沉醉其中，不能自拔。

因为你在享受着爱和欣赏。人活一世，总希望得到爱，总希望被人爱，当你发现有这样一个人在痴迷地目中无人地爱着你，不因为你不够漂亮而放弃，不因为你不够成功而改变，你的自信心得到了很大的满足，你因为这样一份爱而更爱生活，更爱周围的人，你的生命因而变得更加精彩。

是的，我们爱了，我们快乐了，是因为我们在享受着只属于我们自己的独一无二的爱，无人可复制的爱。

在爱我们的人心中，在我们爱的人心中，我们的爱独一无二。

11、珍惜身边小心眼的爱人

爱情中包含着许多内容，其中一项就是——吃醋、小心眼。

小心眼的表现有时惹人爱怜，处于热恋之中的人从中接收到的是爱的信号，感到温馨；有时却惹人恨，长时间的管束让人喘不过气来，急于摆脱，小心眼的毛病逼走了爱；大多时候，这种小心眼让人痛并快乐着，自己所爱的人也这样深爱着自己是欣慰的事情，而不分场合严加管束又让人不知所措，连正常的交往也没有了，让人急得想跳起来一走了之。

我们喜欢自己所爱的人爱着自己，却又害怕爱人的小心眼的约束。小心眼是很烦人，但正是在这些烦人的表现中包含着爱的内容。那是一种深深的在意，就是因为在意，他（她）会对你与异性的交往不满意，他（她）会留心你的一举一动，他（她）会对你不能说清你的去向、心思以及一些其他你应该告诉清楚的东西而歇斯底里……如果你也爱着他（她），请珍惜，不会有太多的人会对你这样的。我们都要始终明白，相爱的情人，任何的吵闹、嫉妒、猜忌、孩子气等行为，都是合理正常的，人的感情就是在这样的磨合中成熟起来的。

有些时候，我们也不要把爱人的小心眼全部归罪到爱人身上，当爱人出现这种情况的时候，应该反思一下，我们是不是做的让爱人不放心了？任何事物都有两面性，让爱人歇斯底里的一部分罪过就在自己身上，很多时候就是自己的行为让爱人不安了，自己的做法让爱人感受不到爱了，自己确实不检点了，这些都应该加以反思。让你还爱着的人心眼变大的办法就是让他（她）从心底里感受到你的爱，让他（她）对你的爱有安全感，相信真的爱了是能感受到的。

真的，不要一味责怪爱人的小心眼。当有一天，你的爱人大度了，他（她）不再在乎你与异性交往，甚至对你与异性的暧昧也能泰然处之的时候，那是因为他（她）已经对你没有爱了。如果你还爱着你的爱人，那么接下来小心眼的可能就是你自己了。

所以，珍惜你身边小心眼的爱人，那才是真正爱你的人。

三　跟女儿一同成长

1、我跟孩子一同成长

最近有同事问我："你知道成龙的电影被制作成动画片了吗？"

问我这个问题的同事的孩子在上小学，时常跟孩子一起看孩子的节目。

我不知道。真的，好几年了，我没有看过少儿频道，没看过少儿栏目，所以我更没看过动画片。

但我以前是常看的，我是陪着孩子一起看的。记得孩子小的时候，我与孩子一起看的动画片是《葫芦娃》、《西游记》、《蜡笔小新》等，开心益智，我也看得入迷。我家的电视机每天都在播着动画片，这个台结束换那个台。记得有一次丈夫忍无可忍说了一句：咱家电视机坏了吧？怎么老是动画片？

我跟同事开玩笑说：我们都跟孩子一起成长。

我们自认为已经长大的时候，我们有了孩子，于是我们开始了又一轮成长的过程。

当我们的孩子还是婴儿的时候，我们随着孩子的咿咿呀呀的原始发声，也在咿咿呀呀地与孩子对话，我们爱说的话都是叠声的，我们会说：穿袄袄，洗脸脸，出门门，打屁屁，吃饭饭，说话话……对着孩子粉嫩的小脸，黑亮的眸子，我的心也是纯净的，柔情的。我看育儿书籍，研究婴儿心理，试图进入孩子的内心，用孩子的视角看世界。

随着孩子跟跄学步、呀呀学语，我会每天指着周围的物品教孩子认识，教孩子认识颜色，教孩子明白跌倒了自己爬起来、教孩子养成好的习惯等等一些道理。在教孩子的过程中，我也在检讨自己的行为，我不得不严格要求自己，用自己的行动、用自己柔情似水的语言教育孩子。这时候，我陪孩子一起看看图识字，不厌其烦地一遍一遍讲给孩子听，指给孩子看。

孩子上幼儿园了，天天听孩子讲园里的趣事，听孩子念儿歌、数数字，检验孩子学到的知识，为孩子学到一点点小本领而欣慰。那个时候，我会背许多儿歌，会讲许多睡前故事，孩子的课本被我翻了一遍又一遍，我能背得滚瓜烂熟。

等到孩子能看懂动画片了，我也迷上了动画片，跟孩子一样，动画片的许多台词我都能背出。说实在的，孩子在动画片中学到了许多知识，懂得了许多道理，而我也受益匪浅，学到许多我以前不懂的东西。

后来，我跟孩子一起迷上了杨红樱，买齐了杨红樱的全部书籍，每一本都细细阅读过。为了让孩子养成读书的好习惯，在孩子刚刚学会拼音的时候，我购买了一些注音版的书籍，陪孩子一起读完了《鲁宾孙漂流记》、《西游记》以及一些童话故事。在我的引导下，我的孩子迷上了读书，可以整天捧着书不放，于是，我大量为她购买图书，秦文君文集、儿童文学典藏书库、中外名著等等，当然，这些书我也跟她一起全部阅读了，我看了许多以前想看却没能看了的书，我的阅读量大增，过得充实而快乐。

孩子上了初中，迷上了流行音乐。这之前，我会唱的歌曲除了儿歌，就是上学时候的老歌，流行歌曲与我无缘，跟着孩子我认识了周杰伦、蔡依林，知道了王力宏、胡彦斌，明白了5566组合、至上励合组合是些什么人，并且学会了许多歌曲。另外，流行词汇我也学到不少，许多年轻人对我嘴里冒出的一些词语惊讶不已，同事也开玩笑说我越活越年轻了。我也觉得我的心态确实变得年轻而有活力，记得有一次我跟孩子聊天，非常准确地用了"雷人"这个词，孩子笑了："我只知道这个词，你都还会用呢。"

孩子上高中了，流行的东西依然跟孩子一起接受着，这段

丰收。丰收了，玉米装进了铁丝框，在依山而建的土窑洞旁竖起了一堵堵金灿灿的玉米墙。

时间我跟孩子一起读的书范围就非常广泛了，青春文学、励志书籍、唐诗宋词，一起看安意如的书，看饶雪漫的书，看韩寒的书……通过这些阅读，我了解了孩子的心理，我的知识面增长许多。在孩子面前，我都有了危机感，感觉到自己的知识含量已经不如孩子了，如果我不努力、不进步，与孩子的差距将会越来越大。

孩子还在继续长大，她早已可以脱离我的羽翼而自己学习知识、学习本领，她带给我的将会是更多的我不知道的，我没有接触过的东西。她懂得做人的道理，品质优良，她会在一条健康的道路上一直向前。

而我，接下来，还得紧跟孩子成长的脚步，与孩子一起成长。

2、与女儿一起作弊

女儿今天开学，按照丈夫放假时的要求，今天也是女儿交出手机的日子。

我对这一点很赞成，上高中的孩子不应该在学校带手机，她们没有自制力，拿上手机只会影响学习，有百害而无一益。尤其像我女儿这种孩子，喜欢交朋友，整天手机挂着QQ，不停地发信息、打电话，难保不会上课时间玩。

但女儿提前几天就跟我提条件，要求今天再拿半天，到下午我送她离开学校时再让我拿回来。我答应了她的请求。但没收手机的实施者是她爸爸，无论女儿如何央求，他坚决不答应，非要让孩子早晨离开家时把手机放下。

女儿是那样渴望再拿一会儿手机，我过意不去，悄悄给她出主意，让她把手机交出去，把卡拿出来，然后用我的旧手机玩半天。她马上一改愁容，笑逐颜开了，一脸坏笑地拿右手食指点我，然后我们两在丈夫的身后偷偷比划了一个胜利的手势。

结果丈夫还是发现了她手机没卡。我心想这下完了，我们的计划泡汤了。

呵呵，没想到的是，没怎么一会儿，女儿悄悄塞到我手里一张手机卡，让我藏起来，我纳闷了，没出声，但满脸的疑问：怎么回事？刚才不是把卡交了吗？

女儿嘿嘿一笑，悄声说：给了我爸一张废卡。

我笑了，怎么都止不住。丈夫看见我一直笑，不明就里，骂我是个只知道傻笑的傻瓜。女儿急得一直悄悄摆手，怕我告诉了她爸。

就这样，女儿把手机用了半天，然后由我带回了家。

嘘！女儿不让我告诉她爸的。

3、女儿说她老了

女儿上高中后，一次，同事与她在 QQ 聊天，同事说：好久没见你了，你好吗？女儿回答：我都老了。同事觉得很有趣，让我看她们的谈话记录，我也付之一笑：小东西，才多大点就敢说老！

后来，女儿不止一次地半开玩笑半认真地说她老了，刚开始我没在意，笑笑就过去了，后来她说得多了，我的不满情绪就上来了：呵呵，你15岁就老了，那我老得还能活吗？女儿并没在意，依然时不时感叹一句她老了。

放暑假了，与女儿在一起时间多了，渐渐地我感觉到，女儿确实"老"了。

一块出行，邻座一个6岁的小姑娘，头天晚上就跑来跑去地折腾，直到折腾累了才睡觉，第二天天刚亮，这个女孩又开始翻来覆去地闹，一会儿吃东西，一会儿在地下跑，一会儿乱叫，弄得女儿很无奈地叹了口气说：她怎么那么大的劲儿呀！整个一路，女儿要么沉静地思考，要么看书，要么闭目养神，总是心思重重的样子，最活跃的时候是引逗那个小女孩叫她姑姑的时候。是呀，面对这么小的小孩，她是"老"了。

一次她对我讲，那些初一初二的学生精力真充沛，早晨她还在睡觉时，那些孩子就在楼下叽叽喳喳叫，中午午睡一会儿，那些孩子又吵得人睡不成，真想出去打她们一顿。从这里来看，女儿是"老"了，她都想不通比她更小些的孩子怎么能有那么大的精力。她是忘了，想当年她何尝不是这样呢？女儿上初二时，她老师打电话告状，说是半夜一点钟的时候女儿在宿舍唱歌，吵得别人无法入睡。

上高中以来，沉重的学习压力使得孩子总是休息不够，有那么多的事情需要做，有那么多的课程需要学，以至于感觉疲累，已经不能像初中生那样轻松生活、轻松学习了，已经不能随心所欲想叫就叫、想唱就唱了。她有压力了，感到精力"不支"，所以"老"了。

送她去北京培训，我还在犹豫是让她自己回来还是我去接她回来，结果她也在考虑这个问题。她说，我去接太累，她一人回又担心找不见回来的车次。她总是很担忧：你说我怎么回呀？去的路上一直问这个问题，可见她脑子里就一直在思考着这个问题。不仅如此，她还一直担心一个人在外，人生地不熟的怎么办？我知道，敏感而心强的女儿还有对于偌大北京城和将要生活的美丽的大学的自卑感，她怕无所适从。

是的，她想问题确实很多了，不像初中时候懵懵懂懂对前途对未来没有任何打算，对于现实的、未来的世界她有了向往、担心和渴盼。她多次忧心忡忡地说：高考距离我已经很近了，我该考什么大学呢？以后我会在哪儿工作呢？她学会思考了，所以她"老"了。

"老"真是一个比较级，只有通过比较才能得出老与不老的结论，女儿的老是因为与别人比，与过去比。与其说老，不如说是长大了、成熟了。我们常常会因为比我们小的人在我们跟前念叨自己老了而愤愤不平，认为是对自己的讽刺。通过我对女儿关于自己"老"的说法的了解，女儿从没心思跟我比老，她认为我跟她之间就不是一个比较项，所以我也没有必要自作多情跟她计较什么。当她念叨老的时候，她的心里是有一个比较项的，因为这个比较才使她感慨。

老还因为不堪重负，她刚开始思考人生，她感觉思考得太多，对未来的茫然无知更使她有无法承受之重，一下子适应不了对这么多问题的思考，这些问题压着她，不能释怀，让她感到自己老态龙钟。等到一定年龄、一定阅历之后，思考这些问题已经成为小儿科的问题时，思考人生中的各种事情已经成为常态时，她会感觉自己"年轻"的。

这是一个长大的过程，只是她更敏感地捕捉到了而已。

4、送女儿去上学

流火的 7 月，按照女儿的愿望，我送女儿到北京学习广播电视编导。

正值暑运期间，我们好不容易买到了两张火车票，这趟车却是如蜗牛般缓慢，并且十分肮脏，一直到中午 10 点半才到达北京西站。

刚刚从几天阴雨中走出来的北京，潮湿闷热。我们排了长长的队伍才打到了一辆出租车，又经过近一个小时的行驶方才到达学校。而学校贴出的通知是已下班，下午上班再办理相关手续。又累又饿又热又困，休息吃饭喝水成为我们的首选。我们像两个流浪者，提着行李在陌生的北京街头寻找憩息之地，学校附近的宾馆却是满员。只好先吃饭再做他想。

饭后我们直接去了学校等待报到，倒是一切顺利。只是接下来的宿舍安排让我们感觉不满意，是一个学生公寓内的房间，没有卫生间，孩子嘟囔着，说这么热的天怎么洗澡。确实是很热，本来一晚上坐车已经很狼狈，头发一绺一绺地贴在头皮上，感觉很脏，在找宿舍的过程中，又出了一身臭汗，汗水从头发中、从脸上、从脖子上滴滴嗒嗒流出来。这种环境，使得女儿在宿舍洗洗头清清爽爽上街的想法落空了。

无论洗不洗，我们一定要上街逛逛的。一是买衣服。想想女儿一个人在北京待好几天，我愿意满足女儿一切要求，平常舍不得买的衣服今天毫不犹豫就买了，但这个毫不犹豫购买的过程却转悠了两个多小时。然后是买书。书店楼上楼下转转又花费了两个多小时。提着大包小包的战利品，拖着沉重的步子，顶着满头的大汗，披着北京城的灯光，我们回到了学校。

这样的天气，这样的劳动量，我跟女儿时不时有一些分歧和争吵，说是争吵实际上是我发脾气的时候多。是的，我的心里总会有一些绝望的情绪冒上来，就是绝望，就想不通这是何苦呢，有没有必要呢，让孩子好好地待在家里多好！

我把女儿送进宿舍，坐在女儿的床上，把叮嘱了数遍的话又说了好几遍，直到觉得不能再继续坐下去了我才离开，女儿说：我去送送你吧。我嘴里说着不用，心里却愿意让女儿跟我再多待一会儿。在楼下，女儿凑过她的小脸让我亲吻，然后匆匆转身离去回了宿舍。那一刻我的眼眶里涩涩的，觉得有泪水在滑落。女儿一个人第一次待在这么远的地方，她有些不知所措；我第一次把女儿一个人放在了北京城，我是那样的牵挂。

走出宿舍楼，天下雨了，这雨来的非常与我的心境相符，我的心也是湿漉漉的，劳累口渴再加上这撩人的雨水，绝望再一次袭了上来，我觉得我都无力走出女儿所在的学校，离不开女儿的身边。这是何苦呢？我边走边思考着这个问题。肯定的答案我以前已无数次想过，这对女儿是一次锻炼，即使以后不从事这一行业，出来学习最起码可以增长女儿的见识，增加她的自信，也许通过学习女儿真的适合做这个工作呢，或许也是一条生活道路。让我动摇的答案其实只有一条，那就是你对女儿的放不下，那就是对女儿的牵挂。

校园里冷冷清清的，我一个人顶着一把伞走在雨中，路上还有满腔心思的我的影子……

我对着女儿的宿舍轻轻地说：好孩子，愿你一切顺利！等你学习结束时，妈妈再来接你。

5、女儿的头发

女儿留着一头短发，对于15岁的女孩来说是比较少有的。女儿说她就喜欢短发，看起来精干利索有气质。

其实，每个女孩子都喜欢一头长长的秀发。女儿上小学三年级时，基本上可以自己梳头发了，在她的要求下开始留起了长发。女儿很爱她的长发，每天花费不少时间在上面，一根精干的马尾辫这是正常的发型，但是女儿用各种卡子、各色皮筋束在小辫子上，不停的购买这些物品，跟收藏一样。

女儿小学毕业那年我就一直向她灌输这种思想，上初中一定要剪掉长发。因为女儿要离开家去外地上学，剪短头发一来可以节约时间，二来能够收拾干净。起初女儿很有抵触情绪，但孩子很听话，答应在将要开学的时候剪掉头发。

一个暑假很快就要过去了，剪头发的日子被女儿一拖再拖，直到最后她爸爸下了最后通牒：如果不去理发店剪，他就要趁女儿睡觉时把她的头发剪掉。剪头发那天，女儿的表情很悲壮，有些上战场的感觉。随着理发师的剪刀剪下第一缕头发，女儿的眼泪就唰地流开了，在理发师剪刀咔咔地操作中，她一直无声地哭，眼泪汹涌流淌。最后理发师看不下去了，提出一边留上一缕长发，等适应几天再剪掉，女儿这才脸上带了一些笑意。

后来好长时间女儿的头发每剪一次都要哭一次，尤其是剪的发型不合乎她自己的要求时更是哭得凄凄惨惨，好几天情绪不佳。每逢这时，我就会说，学生以学习为主，不要光是注重打扮，况且头发很快就会长起来，再次剪好一点不就得了。如果类似这样的唠叨之后她依然哭，我就会软硬兼施，批评发火，然后拿她喜欢的东西哄她开心。

再慢慢地她好像很喜欢这样的短发了，自信在脸上洋溢。曾经有一次她说，我长大了也不留长发，这样多好！每天洗得干干净净，清清爽爽，心情都好。

前几天我与女儿进了一个装潢不错的理发店，理发师的发型都很时尚，很个性，想必也会为女儿理出很好的发型。剪出来的结果不能说理发师技术不高，但总透着那么一些怪，两个鬓角的头发全部剪掉，后面的头发很短，而前面的刘海却是比较长的，我当时就大笑开了：简直一个街头小混混！我女儿可是学校的学生会主席，这种发型怎能见人？可是一切已经无可挽回，没办法做修整了，只好如此。女儿看着她的新发型也是一直发笑，一直把理发师吹得蓬起来的头发往下压，情况才稍有好转，不过这样压下去后很像是把一块西瓜皮扣在头上。

最近我见了女儿，问她同学们对她头发的评论，女儿认真地说，有人说她的发型像小学五年级的小男生，有人说她的头发像瓦片扣在头上，有人说她的发型很可爱，有人说她的发型很惨烈……总之吧，众说纷纭，大家见了都想摸摸。然后我问她自己感觉如何，女儿笑笑说，无所谓啦，我觉得挺好的！

我一下子被女儿的大度所感动，这是一种莫大的自信！从女儿为自己发型的改变而哭泣到最后无所谓头发成了什么样，我看出了女儿内心在渐渐变得强大。是的，我的女儿已经成长起来了，她明白了许多外在的东西都是虚空的，唯只有充实自己，让自己很优秀才是真正最重要的。

愿我的女儿更优秀！

6、女儿的认错

周末，我的时间就是女儿的，她回家我在家照顾她，她不回来我去学校看她，一切听从她的安排。说实话，我有些骄纵女儿，只要她想要的，基本没有驳回过，我愿意尽我的努力满足孩子的愿望。我曾经也是小女孩儿，我知道小女孩儿的愿望和梦想。

昨日我去看她，今日分开时，她说：妈妈，给我两张黑的。我明白她是要两张10元钱。

我边打开包取钱，边随口笑着唠叨了一句："就知道要钱！"

我这句话不是随便说的，她就是花钱多些，有些大手大脚。但无论怎样，孩子出门在外，总怕她有不便，常是要多少给多少，甚至更多。

但是，就这么简单的一句话，女儿扔出一句："算了，我不要了！"

我知道，她就是这样的脾气，也与我的娇惯分不开。我从来不介意她的脾气，小孩子嘛，不在父母跟前使小性子还能去哪儿。但是，我觉得不能这么一味纵容她，否则她会不知好歹。我说："哼，你恼了，我还恼呢，不要算了！"说罢，离她而去。

不能说这时候我的心情是愉快的，毕竟又与孩子分开一周，这是个敏感的孩子，我怕她心里有疙瘩呢，她心里的难受不亚于我。为了锻炼她的忍受力，我还是没有返回去。

晚上，正是孩子上自习的时段，我接到了女儿用同学的手机发来的信息："妈妈，我错了，勿回，哲。"

我一下子觉得眼泪在眼睛里打转，不只是因为感动，更是因为心疼，我的敏感懂事多心的女儿呀，几个小时过去了，还一直把这么一个小小的争吵记在心上呢，她是怕我心里难受呀！可以想见，几个小时内，她的心里也在经历着煎熬。我明白孩子的心，她也在心疼我。

尽管她是用别人的手机发信息，她可能也不想让同学知道她用手机是在给我发忏悔的信息，但是，我还是回了信息："笨笨哲，妈妈永远不会怪你，妈妈爱你。"我想让我的女儿知道，我是她的妈妈，我非常爱她，我所做的一切，都是为了她的健康快乐成长。

我该怎样呵护孩子的心灵呢？我迷惘着。孩子是懂事的，她做了错事敢于承认，勇于认错，还知道心疼长辈，这是值得欣慰的。但是如此心重，如此把一次在别人看来微不足道的争吵放在心上这么长时间，在上晚自习的时候发信息给我，这并不是一件好事，她太敏感，太在意这些小事，这会影响到她的学习和生活，让我不安。

女儿是懂事的，我还是希望这样懂事的忏悔不要太频繁的发生。我要注意教育孩子的方法，更要提醒孩子把心放开些，不要想得那么多。

7、一瞬间的感慨

　　本来我该去北京接女儿回家的，考虑到我的工作繁忙，还考虑来回花费的路费，以及大热的天来回三天折腾的劳累，我委托朋友在北京读研的女儿送我女儿去车站，只要送进候车室就行，我只担心女儿找不到回家的车次。

　　对于朋友的女儿我是很放心的，对于后来朋友的女儿因去外地出差顾不上送我女儿上车而委托一个同学去送，我也是放心的，因此，这个中午我沉沉地睡了一觉，竟忘了提醒女儿三点多就该出发去火车站了。

　　就在我沉睡梦中的时候，女儿的短信来了：从学校到北京西站需要多长时间？我一下子惊醒了，是啊，一旦送我女儿的人没到怎么办？我赶紧回信：联系送你的人了吗？女儿回信：在路上。我的担心更甚，给女儿回信说：如果到三点半送你的人还没到，你就自己打车走。发完，我又不放心，女儿是物质主义者，每次出行都会带许多东西，衣服带到每天一身都穿不完，鞋子好几双，出门归来肯定买了许多东西，另外还有书本、食品，随身物品也带得非常全，甚至还会带一大包抽纸，她哪样都不会少，手提肩扛分量还不会轻。我紧接着发了一条信息：宝贝，把不用的东西扔掉，妈妈只要你安全回来。

　　发完这句话，那一瞬间，我感慨良多，真的，我就还没有哪一刻那样强烈地想到，我只要我的女儿安全回家，其他的都在其次。其他的东西，扔掉了都可以再买来，而我的女儿，当明天早晨到来的时候，像个燕子一样出现在我的眼前，就如女儿短信所说"美好地出现在我的眼前"，我就是最幸福的人。

我的心情从发完短信后再也不能平静，我们每天都在努力，求的是什么，事业再进步，挣的钱再多，活得再荣耀，再有成就感，没有亲情相随，我想也没有什么意义。相对于亲人们来说，一切都是身外之物。

我们一生就是一个大的旅行，我们都会携带大包小包的行李，但无论如何，我们一定要腾出一点空间让亲人可以抓住，或者干脆腾出一只手与亲人相牵。即使偶尔出行，也不要因为拖拽沉重的行李而误了回家的那班车，或者迷失回家的道路。

四　感悟人生

1、人和人之间隔着的就是一句话的距离

　　人和人相隔的也就是一句话的距离，也许是一句"我爱你"，也许是一句"对不起"，也许是一句"你好"，也许是一句贴心的问候，也许是一个耐心地解释……。往往只要一句话，一句听起来比较温暖的话，人与人之间的距离就近了

　　但是，一句话既能拉近距离，也会拉开距离。不同的距离，说不同的话；说不同的话，标注不同的距离。也许一句"讨厌"，一句"滚蛋"，一句绝情的言语，一句怨言，一个不耐烦的腔调……距离刹那产生。

　　爱是需要说出口的。明明互相爱着，却都矜持着，或者没有勇气，或者对对方的爱没有把握，始终没有表白出来，于是僵持着，打着太极，而心却在痛苦中深陷。终于会有一天，一方不能忍受这种煎熬而离开；终于有一天，一方认为对方没有爱而走远。就因为缺少这样一句表白，距离拉开了。其实两个人相隔着的也

就是一句话的距离，一句话可以完全改变一切，甚至人生。

误会是需要解释的。每个人都有自己的个性，自己的处事方式。一句话说出来，一件事做出来，一个表情摆出来，可能并没有什么深层意思，在别人可能就感到受了伤害了；也有可能是在表达这个意思，别人听的是另一个意思。于是表现出来的可能就是冷漠，可能就是伤害对方，可能就是心生嫌隙。一些话说不开，一些必要的解释没有说出来，可能导致好朋友反目，夫妻吵架，亲戚不和，邻里不睦。一句话就能冰释前嫌，一句话就能让对方理解，一句话就能产生和谐，何乐而不为呢？

做错了事是需要道歉的。我见过这样的事情，大街上，甲男不小心把乙男撞倒了，没有扶起乙男，也没有一句道歉的话，转身就走。乙男很生气，从地上爬起来就揪住甲男，要求道歉，甲男嫌乙男态度蛮横，觉得自己是不小心撞倒乙男的，又不是故意的，拒不道歉，乙男很恼火，揪住甲男就打，乙男也不示弱，一场恶战就

村口的迎客松。我们的村庄叫皆才村，在我们的村口有一棵1300年的白皮松，如同这村庄一样古老，但依然充满着浓浓的生活气息。

这样产生了。其实这又何必呢？也许一句"对不起"，所有的问题都解决了，就不会出现后边的这些事了。为了一股气，值得吗？

古人说：好话一句三冬暖，恶语伤人六月寒。所以，不要吝惜一句好话，一句好话可以让心拉近，让生活变得美好，让心情变得敞亮。也不要对别人恶语相向，一句恶语，不仅拉远人与人的距离，同时你可能收获的是一份坏心情。

人和人隔着的有时候可能就是一句话的距离。

2、我们终将会遗忘的那些人和事

时间是最好的魔法师，一切都会在无涯的时光中归于平淡，那些喜悦的、忧伤的事情，那些曾在我们生命中驻足的带给我们欢乐和痛苦的人，终将会随着时间而被淡忘，最后随风飘逝。

曾经是那样的情真意切情投意合情意绵绵情深似海，你说非君不嫁，他说非你不娶，你们如鱼儿一般欢快，你就认为这个人就是你生命中最明亮的点缀，没有他，你的人生将黯然失色。猛然有一天，各种原因你们分开了，你的世界顿然失去了色彩，你以为接下来的人生，痛苦将如影随形。每每见面，心在生生地疼，仇恨从眼眸中直射出来。你也以为，除了痛苦，你还有恨。但是，无论曾经有过的幸福，还是缘分散尽之后的仇恨痛苦，在时间面前都变得异常渺小。总有一天你会发现，这个人不再如以前那样完美高大，这个人原来也有那么多的缺点。不知何时，你竟然可以对着他说：你好！如同对所有的人一样。在见到他的时候，竟不能在心里掀起一丝涟漪，彻彻底底的平静如水。世界上最残酷的事情不是痛苦，不是仇恨，不是形同陌路，而是不再在意，在心底深处如对普通人一样。

曾经有许多事情让我们欣喜若狂过，或许是在我们考上理想的学校的时候，或许是我们苦苦努力终获成果的时候，或许出乎意料的好事降临的时候，或许对自己来说意义重大的事情办成的时候……我们以为我们会一直沉浸在幸福中。而生活是由许许多多的事情组成的，有开心就会有失落，这些高兴的事很快被别的事情取代，生活归于平静，甚至因为一些不顺心事淹没了这份好心情，快乐消散。

曾经我们痛不欲生过，这份痛苦淹蚀着我们的心，我们以为这个坎难以跨过，然而多痛苦的事情都会过去，我们生活中不只是有痛苦，噩运是我们每个人都会遇到的运气，好运同样也是会降临到我们头上的运气。快乐会冲淡我们的痛苦，琐碎的生活会让一切归于自然。

生活就是由许多痛苦、快乐或者无所谓痛苦和快乐的事情组成的，无论多快乐的事情或者多痛苦的事情，终将会被我们遗忘，顶多成为我们回首往事的谈资而已。快乐和痛苦带来的都是一时的心情，一切都会归于平静。

平静才是我们生活的主旋律。

3、从容是一种修炼

我作为教师第一次讲课是在师范实习时，我教的是初二数学，认真准备了好长时间，并且暗地里讲了好多遍，自以为已经谙熟于心，讲起来定然得心应手。可是，真的上了讲台，面对着底下一个个比我小不了几岁的学生，心里很慌乱，再加上我纯粹不知道一节课能够讲多少内容，不懂教学技巧，我一个人呱啦呱啦讲了 45 分钟，直到下课铃声响过才结束。说实话，我当时对我这堂课讲得如何没有任何概念，只是觉得自己讲完了所有准备的内容，完成了任务。当我走出教室的时候，听见学生们议论：讲的什么呀？我怎么一点也不懂？这一刻，我很受挫败，急忙逃离教室，先前的自信荡然无存。

后来我成了真正的教师，在许多次的磨砺之后，我知道了如何讲课能让学生听懂，一节课传输给学生多少知识能够让学生接受，由于我懂得了技巧，有了一定的阅历，我的讲课开始变得从容。那时我就明白了，从容是一种境界，只有有了一定的修为之后才可以实现。你生疏，你就很难从容；力不从心，你也很难从容；急躁慌乱，你也很难从容。

无论工作和生活，自己熟悉的，做起来就得心应手，自然流畅到好像自己天生具有这本事一样。如不熟悉，不是自己领域里的，则做起来慌乱无章法。人说"隔行如隔山"就是这个意思，隔着行，可能很努力也都不能镇定自若地做好一件事情。

文章亦如是。我闲暇时间写点小文章成了一种习惯，不写心里空虚。在写的过程中，我发现许多值得写的主题，心潮澎湃试图能把某个问题说清楚。一旦动笔了，有时候写得异常艰涩，使尽力气不能达到自己原先设想的目标；或者是对这个要写的问题并没有认识透彻，说起理来总感不是那么服人，总感不能全面概括全部内容，总感自己立意出现了问题；或者词不达意，三两句就表达出了自己的意思，不能展开论述，文字和段落的排列组合上也不能尽如人意；或者干脆在写的过程中偏离主题，甚至完全改变了初衷。我以前说过我是一个"仓促的讲述者"，自己都能感觉到自己在写的过程中的局促，为此我很沮丧。

实际上这个问题说到底还是自己的修炼不够，一是思想的修炼不够，对一个问题的理解不够完善，挂一漏万，许多问题的理解只是限于表象，而不能深入理解其内涵，或者思想混乱模糊，不能清晰自己表达的思想是什么。二是写作技巧的修炼不够，对于一个主题，不知该用一种什么方法说出来好，往往结构混乱，前后内容重复，还干巴巴没有修饰，直抒胸臆，读来干涩，写来不畅。三是文字功的修炼不够，语言不够流畅，词不达意，那些风花雪月的文字，那些抒情优美的语言，读来让人畅快淋漓的篇章，怎么也学不来写不出。

没有经百般事的磨砺，没有行千里路读万卷书的艰辛，就不可能真正理解人生理解社会，就不可能真正做出从容的文章来。

从容是一种修炼，包括自己的为人品行，包括正确的人生态度，都来源于对自己、对生命的本质、对社会、对人世的透彻理解，非此难得从容淡定地生活。

修炼，从一点一滴做起，让自己变得从容。

4、伤痛方知健康美

一过40，感觉身体总在出毛病，血压高，头疼脑晕，疲乏无力，感冒次数增多，还时不时意外地出现一些状况，身体舒服的时候感觉不是很多了，苦恼之极。

就像昨天晚上，稍微一滑就摔了一跤，一只脚踝迅速肿胀起来，摔伤的这只脚稍一踩下去就非常疼痛。晚上睡觉那只脚简直没法放，早晨丈夫抱怨说他一晚没睡好，因为我睡梦中一直在喊疼。我是个急性子，平时走路一阵风，上楼梯都恨不得一脚上两个台阶。早晨上班后，我的受伤的脚导致我一步一挪，上下楼梯如蜗行般缓慢，看着同事们一个个噔噔地上上下下，接受着大家关注询问的目光，我急得直冒汗。

真的，看着别人健步如飞的时候，我就怀疑，我是不是曾经也是这样呀？我就害怕，如果好不了怎么办。随着年龄的增长，这种疑惑和担忧也在增加。去年接近年关时一场人感冒让我浑身无力，周围的世界都是恍惚的，我当时就想不通，为什么大家能有那么大的精神高声说话，能有那么大的劲头走来走去，感觉到这样的健康距离自己太遥远了，感觉到健康着真是很美好。那个时候就只盼望着赶紧健康起来，其余再无所求。

小时候，甚至是前几年，当感到疲累的时候就盼望着自己能够小病一场，这样给自己能心安理得的休息提供了理由。而那个时候，好像就没有什么问题让自己难受到对自己能够恢复产生疑问，有病总是很快就好，甚至都不需要怎么请假休息。

而现在，我多么害怕自己身体出现状况呀！一是疾病好像很容易就能侵袭而来，好像有流行感冒我就躲避不了，头疼脑热更是时常伴随自己；二是疾病一来就来势汹汹，使人很痛苦；三是无论家庭还是工作，我都病不起，且别说我需要照顾别人，我一有病就要拖累丈夫放下繁忙的工作照顾我，我感觉愧疚。在单位，工作总是做不完，安排不完，工作性质让人还不敢有丝毫松懈。

每每身体出现状况，我就感叹：健康真好！健康着，可以随心所欲做自己喜欢的事情，可以想去哪儿就去哪儿，累了，休息一会儿就好。健康着，就不用忍受病痛的折磨，无论多累，都能绽放出灿烂的笑脸。健康着，不用劳烦别人照顾牵挂，况且，再好的护理都不如自己照顾自己来得舒服。健康着，可以为家人为朋友为自己多做许多的事情，这样心里是充实的，是踏实的。

所以，珍惜健康，保重身体，愿大家都健康快乐！

5、该放下时就放下

前几天与一个退居二线的领导聊天，他说：退下来心里真轻松！

从他的精神面貌可以看出，他说的是实话，绝非虚言。在他即将离任的那段时间，我看出他的焦躁和对于这个权位的不舍，尽管他说没有问题，他已经做好退下来的一切准备了，但他的消沉、失落却都在他的一举一动中流露了出来。

他说，当领导责任太大，年龄大了，不愿意操那么多心了，现在在家看孙子、上网、看书、做家务、街上溜达，还有一些亲朋好友的事情，整天还不闲，挺快乐。

我相信这种放下包袱的闲适。于是我就想，在生活中，我们放不下的东西太多了，以至于多了许多不快与烦恼，甚至于觉得生命是如此沉重。这些东西，你以为你放不下，你离开了不行，比如官职、金钱、感情、事业等等，但真的放下了，却与自己原来的想象并不相同，你没有那么痛苦，即使痛苦也很快能消解；你也没有那么失落，即使失落也能很快找到新的事情填补。

我们的心态实际上更多是不敢放下，对于放下忧心忡忡。

当我们当官的时候，我们放不下的是那种作为官员的特权，以及那种成就感，殊不知，当我们放下这些的时候，我们同时也放下了许多责任、放下了劳心劳力的煎熬。君不见，矿难现场领导亲临一线日夜守候、心力交瘁？君不见，酒场上一些人为陪好自己的上司赤膊上阵，拼死喝酒（有人说，越大的官爷爷越多）？君不见，过年过节时，在下属全家团圆的时候，领导还得处理单位的一些事务？（我有一次跟我们一个领导说：当官好，抱的是不哭的孩子。我们领导马上回说：但是，若孩子哭起来最着急的人是我。）……现在大大小小的领导有几个不是处于亚健康状态？所以，同荣耀一同放下的还有压力。

当我们因为一段感情而痛不欲生的时候，我们都不舍得放下，明明知道情已灭、爱已绝，却还是想一味挽留，我们其实是放不下自己投入进去的时光和身心，觉得就这样放下太委屈自己，觉

放牧的老乡。无论世界如何改变，我们的村庄亘古未变，沟沟坎坎的土地依然离不开耕牛的相伴，朴素的乡民结伴放牧，看着肥壮的耕牛，欢笑溢满山山梁梁。

得就这样离开太便宜了对方。可是，与其这样痛苦着，不如早早放下，早早解脱。放下的是这样一种刻骨铭心的感情，却同时把痛苦也放下了，也给自己带来了重生的机会。

还有金钱、事业等等，整天患得患失，整天在追求和唯恐失去的守护中挣扎，不如从心里放下来，争取了、尽力了，然后得到了固然好，但苦苦争抢一种不属于自己的东西或者很难得到的东西，徒增烦恼而已。得不到就放手，这是一种境界。

人的选择具有唯一性，当你苦苦死守让你痛苦的东西时，你就放弃了对别的东西的追求。明明这是一个死胡同却硬要钻，而不回头看看还有那么宽广的路可以走，这不是执着，是死脑筋；明明背负着的东西已经让你不堪忍受，却还要驮着前行，不肯放下，这不是懂得珍惜，是不懂享受生活。

佛说：放下即是养心。该放下时就放下，看似消极，实际上却是一种积极的生活态度，放下了就是另一种心境。

6、鼓励的力量

身边总有这样一些人，为你的进步欢呼，为你的成功鼓掌，为你的努力喝彩……他们的鼓励让你产生一种勇往直前的力量。这些人里有你的父母，有你的亲朋，有你的老师，有你的知音。在他们的鼓励中，许多的不可能变成了现实，许多的犹疑化为了行动，许多的惰性让位给了坚持。

父亲常给我讲教育理念的问题，他说，在以前，人们的观念是"优点不说跑不了，缺点不说不得了"，而现在成了"优点不说不得了，缺点不说就会少"。我信然，并且认为，要善于发现别人的优点，一个并不明显的优点，被人说得多了就会真的变成一种优点，而一个并不大的缺点，由于总是被人指责，自己就会自暴自弃满不在乎，渐渐这个缺点就成了毛病，改都改不掉。这就是告诉我们要重视鼓励别人，而不是总找茬打击别人。

记得前段时间听过一个亲子讲座，老师特别提倡对孩子的鼓励。他举了一个例子，说是一个丈夫每天回到家都夸邻家媳妇如何漂亮如何贤惠，总是指责妻子这儿不如人家，那儿比人家差，这个妻子能否忍受得了？当时我听着做着联想，不禁打了个寒颤，多可怕的现象！然后老师说，你们每天都这样对你们的孩子说，谁谁谁如何优秀，谁谁谁如何比你强，孩子是否受得了？是啊，小时候，父母拿别的孩子这样跟我们比较过，让我们很受伤，很自卑，现在，我们做了父母，用着同样的方法在伤着孩子的心，用同样的方法打击着孩子的自信。我相信这样的教育不会产生成功的孩子。

一个人要成功关键是要快乐地做事，做自己感觉快乐的事。如何能快乐？唯只有让人有了成就感。成就感是什么？就是受到大家的肯定。我想一个人在做某件事的时候得到的总是批评和指责，那么能有信心坚持做下去吗？显而易见是不行的。有这样两个孩子在表演进球，其中一个孩子 10 个进了 9 个，另一个孩子是 10 个进了 1 个。进 9 个球的孩子的父母对孩子没有进了那 1 个球而大加指责，而进了 1 个球的孩子的父母站起来为孩子进了 1 个球鼓掌。后来这个进了 1 个球的孩子成了著名球星，那就是乔丹。乔丹从进 1 个球中感受到了进球的快乐，这个快乐就来源于父母的掌声。

孩子放假回来告诉我说，她们班一个女孩考得不好，她妈妈把她骂哭了。我问孩子，那个女孩考得怎么个不好。孩子说，全年级 1200 多名学生，她考了 100 多名，她是第一次出了 100 名。我笑了，我的孩子是四五百名，但我给与的是鼓励，因为她从 800 多名一直进步到现在已经很不容易了。在这所集中优秀学生的学校，能进步 1 名我都感觉到孩子的不易，我毫不吝啬地把我的开心和满意传递给她，告诉她：就这样坚持，你会继续进步的！但是，假如孩子退步了，我会告诉她：无所谓的，人人都会有失误的，下次你会进步的！我的鼓励使得孩子自信满满，学习劲头十足，她说，学习是一件快乐的事情。这让我非常欣慰。

其实，我们每个人也像孩子一样需要夸奖、需要鼓励。如果你辛辛苦苦做了饭，丈夫总在说：这饭真难吃！时间长了你就会对做饭失去信心，甚至都会不再做给丈夫吃，本来不错的厨艺就荒废了。如果你自我感觉良好地写了一篇文章让朋友看，朋友说：写的什么呀？不如烧掉！渐渐你就会觉得自己可能不是那块料，本来还有一些灵性的文采就被淹没了。

换过来，如果丈夫总在夸你贤惠，我想你会更加贤惠；如果朋友总在夸你的文笔优美，我想坚持下去会写得更好。是的，人都有被别人肯定的欲望，人都想在别人心里树立良好的形象，人也都不想破坏掉自己在别人心目中的美好。

所以，就像一句话说的：鼓励可以改变一个人的观念与行为，批评打击可以刺伤一个人的心灵与身体，甚至毁灭一个人的未来。

不要对他人吝惜你的鼓励，然后对鼓励你的人说：我能行，我不会让你失望！

7、习惯对我们的影响

　　我分析我一次次的减肥失败，原因皆在于我的饮食习惯。

　　首先是吃什么的问题。日复一日都在重复自己喜欢吃的那些惯常饭食，面食为主，吃别的还觉得吃不饱。我也意识到这个问题了，努力改变饮食习惯，发现还是不如自己常吃的那些饭顺口。到饭店点餐，点来点去都是自己想吃的那些东西，不喜欢吃的东西都不想动筷子尝试。并且每顿饭，不管吃了多少大鱼大肉，最后总想吃点面食结束这餐饭，否则有没吃饭的感觉。

　　其次是吃多少的问题。从小养成的习惯就是把饱的标准确定为吃撑着，然后才舒舒服服地离席。都知道饭吃七分人才健康，但面对自己喜欢的饭菜必定忘乎所以，把这句话忘到九霄云外。或者饭前也提醒自己不要吃太饱，差不多就行，但吃起来就顾不得了，总想着这是最后一顿，一顿也胖不到哪儿去，下次注意就行，到了下次，依然推到下下次……

　　再次就是碗里从不剩饭的问题。记得小时候跟着奶奶，奶奶总告诉我碗底的饭才长个子。对于这句话我信了好多年，因此从不剩饭，不论给我舀多少饭，无论是否好吃都会吃到碗里干干净净。长大后我明白了，奶奶这样说，主要是想让我多吃点，还有就是不想让我养成浪费粮食的习惯。但是习惯就那样养成了，盛饭必盛满，碗底必见光，总是觉得剩下饭可惜。后来跟丈夫结婚后，他提醒我，多余的饭吃到肚子里也是浪费，并且不易于身体健康，我却无法改掉这个习惯，甚至于孩子们剩下饭我都刨进自

83

己的嘴里。

想一想，这样的饮食习惯不发胖才怪呢。在我用各种方法减肥的过程中，这些习惯依然在坚持，朋友笑话我，这边吃着减肥药，那边暴饮暴食。

我一直把自己减肥不能成功归结为没有毅力，不能坚持。其实我原先是没有明白，这只是其中一部分原因，固有的一些习惯也是我不能减肥成功的一个很大原因。我不能减肥与瘦人无论如何也吃不胖是一个道理，瘦人除了自身体质的问题外，饮食习惯也很重要。我没有当过瘦人，但我知道瘦人渴望长点肉的愿望一点也不亚于我减肥的愿望，但其一些习惯就阻碍了增肥的可能性。

习惯真是一件可怕的事情，好的习惯使人快乐健康，坏的习惯却让人失去健康，心情不畅。习惯对我们有着巨大的影响，因为它是一贯的，在不知不觉中，经年累月地影响着我们的行为，影响着我们的效率，左右着我们的成败。

按一般规律，许多习惯都是从小"培养"起来的，因而根深蒂固，有人到老也改不了。比如走路的姿势，吃饭拿筷子的方式，谈吐的雅俗，喜好等等。因为习惯影响着人与社会，与人的成长经历、素养等有关，那么习惯就可以分为好习惯、坏习惯与无所谓好坏的习惯。

据统计，一个人一天的行为中，大约只有 5% 是属于非习惯性的，而剩下的 95% 的行为都是习惯性的。即便是打破常规的创新，最终可以演变成为习惯性的创新。根据行为心理学的研究结果：3 周以上的重复会形成习惯，3 个月以上的重复会形成稳定的习惯，即同一个动作重复 3 周就会变成习惯性动作，形成稳定的习惯。亚里士多德说："人的行为总是一再重复。因此，卓越不是单一的举动，而是习惯。"

我想，习惯既然不是天生的，是来自于后天，那么我认为，习惯也不是不能改变的。我就有一个深刻的感悟，许多事情，坚持时间长了就成为了习惯。小时候，父亲一直教育我要记日记，并且时常查阅。但由于是强迫性的，我就能不写就不写，习惯始终没有养成。开通博客之后，我试着在写，带着兴趣去写，三天打鱼两天晒网地写，写着写着，竟然把写些感受当成了习惯坚持了下来，不写还觉得缺点什么。一旦到时间不做某件事就心慌的时候，习惯就养成了，一切就是自然而然的了。比如打麻将，天天在某个时间段几个人凑一起打，渐渐会一天不去打就会无聊，就会无所适从。比如锻炼身体，比如读书写字，等等，坚持一段时间就成固有习惯。

习惯形成于后天而不是本能，习惯形成于潜移默化而非立竿见影。既然习惯能养成，那么习惯也能改掉，这种改掉的过程是需要一些毅力的。比如我的减肥，不要说改变别的习惯，单就是能做到吃饭到七分我想就成功了。要想改掉坏的习惯就不要有下次再改的想法，下次是永远无穷尽的。

人说40不惑，到这个年龄，已经应该完全清楚什么是好什么是坏。时常检出自己的坏习惯来改正，时常提醒自己不要养成新的坏习惯，让习惯促使我们进步，而不是成为我们的阻力。

8、娱乐变迁

世界变化真是快，回首我走过的这40年，不说别的，单说娱乐方式就发生了很大变化。

很小的时候，我跟奶奶生活在一个小村庄，记得那时一吃完饭，我就伏在奶奶的背上出去串门，在昏黄的油灯下，大人们东家长李家短地聊天，我们孩子们则是一起打闹，直到睡意袭来才又被奶奶背回家休息。村里很少放电影，偶尔放一次电影，村里就很热闹，不仅本村的人呼朋唤友聚在放映场，外村的人也三五成群结伴来了。整个露天放映场从天色尚亮就热闹起来，大家都在抢占有利位置。等到电影开场后，有坐的、有站的，许多小孩被驮在大人的肩头，没占到有利位置的，高高地踩在凳子上、爬到树梢上、骑在矮墙上，总要想尽一切办法看到那个小小的屏幕。

后来跟父母到了镇上，看电影的次数比在村里多了些，需要购票才能看，就这也不能经常放映。那时我已上学，隔一段时间父母才允许看一次，我们也没钱去看。记得那时电影放到一半就不再收票了，可以随意进入影院，这时候进去看，我们当地叫做"看蹭戏"，逢有放电影的日子，我们晚上下自习后不回家，一群孩子兴致勃勃挤到电影院"看蹭戏"。

我家第一件可以称得上家电的是一台半导体收音机。那时我上三年级，一天我刚进我家院门，邻居一个小朋友就神秘地告诉我："你爸买回收音机了！"买一个收音机在当时是奢侈品，我有些半信半疑，急匆匆跑进家里，果然看见父亲正趴在床上调试收音机。我开心极了，想摸摸，被父亲训斥到一边了，怕我摸坏。但从此我家的收音机就时常播放着，尤其记得夏天乘凉时，一家人坐在院子里吹着风听着收音机，其乐融融。通过收音机，我了解了许多未知的世界，我听"小喇叭"，听小说联播，听戏曲，听每周一歌，听故事……收音机伴我度过了我的少年和大半个青年时期。

好像是在我上初中时，同住一个院的邻居买回来一台12英寸的黑白电视机，从此，每逢晚上，这家人的家里就挤满了人，大家自带板凳，那时好像只能收一个台，大家无论什么节目都看，妇女们纳着鞋底、聊着天，男人们喝着茶、抽着烟。夏天的时候，这家人不得不把电视机搬到室外供大家观看。现在想想这家人真是好脾气，每天陪着这些电视迷到电视上没了人影才睡觉，很辛苦。当然，人家也有不高兴的时候，记得有时候我们去看电视，人家家里静悄悄地，说是电视坏了或者节目不好，我们只好灰溜溜地走掉。

后来隔了好几个院子的一家人买了彩色电视机，虽然还是12英寸，但大家的目标马上转移到有彩电的家里。记得那时热播《霍元甲》、《京华烟云》等电视剧，每到这个时刻，大家里三层外三层地观看，如同看电影一样。可能是自己没有，便倍感珍惜这一美好时刻，大家看得都很专注，看到精彩处，感叹一番，到了悲伤处，陪着掉上几滴眼泪，觉得可恨了，骂上几句……

80年代中期，录音机作为一件时髦的电器也悄然出现在大街小巷，那时电视、电影里总能出现穿着喇叭裤、戴着墨镜的时髦青年手提录音机走路的镜头，这代表着那时的时尚。那时流行歌曲刚刚流行开来，许多歌曲都是听着电台的《每周一歌》和录音机学会的。不过在那时候都不需要刻意去学，满大街都播放着那几首熟悉的歌曲。

我家有了自己的电视机大约是在80年代中期，也是一个12英寸黑白电视机，那时候黑白电视机在我们镇上已经普遍，我也正好在外上学，因此我对电视机的记忆反不如对有收音机时的感触深刻。

对电视机我感触深刻的时候是我结婚时父母给我陪嫁的一台21英寸彩色电视机，2100余元，这在90年代初中期来说也是一个大件物品，是家里最值钱的东西。因为父母陪给我这么好的电视机还引来众人的羡慕。

时光匆匆向前，不知何时，电视机早已不是什么奢侈品，电视机的种类越变越多，机身也越变越大。我家也随着形势以及生活条件的变化，先后换购过29寸、32寸，无论怎么换都觉得太小，47寸、52寸甚至更大的电视机不断出现在周围人家的客厅里，如同小时候看的电影屏幕一般大。电视节目花样繁多，大家手持遥控器翻来覆去一遍一遍翻看，反而不知看什么好，最后还感叹一声：没什么好看的节目，关掉算了！

是啊，社会变化就是这么快，科学技术不断进步，使得娱乐形式越变越多，社会进入了娱乐时代。可以预知的是，人们的娱乐形式将会越来越多极化，越来越进步，越变越好；不可预知的是，我们不知道未来几年，甚至几个月内，会有一些什么变化。

社会进步真的是日新月异，我们进入了一个好时代……

9、子女的立场

我跟好多人讨论过，当父母发生争吵时，孩子是如何做的？大都说，孩子不做评价，只是劝解父母不要争吵。

孩子小的时候，见父母争吵往往是吓得躲在一边不敢动，有的孩子见父母争吵的阵势大，就吓哭了，有些稍微胆大一点的是维护妈妈，因为在他们心中，妈妈是跟他们最亲的人。记得有一个人讲过一件事，他跟老婆打架时，他小小的儿子手里拿着一个小铲子威胁他。

等到孩子长到一定年龄，有了些辨别是非的能力之后，他们不再躲避，但也不会轻易发表意见。关于这个问题，我跟许多朋友交流过，许多人都说，孩子们精得很，对待父母吵架，他们和稀泥、劝解，如果找他们评理，他们不会发表意见。

对此，我是深有感触。前几天因为很小的一件琐事，我跟丈夫吵了起来，女儿在场。我是一个火气来得快去得也快的人，像麦秸，一点就着，很快熄灭。每每吵架，我都觉得自己非常有理，希望有人站在我这边。所以当我跟丈夫争吵的时候，希望女儿能够帮腔，况且我认为真理是站在我这边的。但是，女儿在我们中间调停，制止我们吵下去。我不服气，我讲出我的道理让女儿听，女儿只笑不表态，笑话我们都是"神经病"。我有些生气，觉得女儿没有原则。等我的火气很快熄灭后，我就开始反思，发现自己对于这次争吵负有很大责任，过错并不全在丈夫身上。

这样的事情有过好多次。对于我跟丈夫之间的争吵，女儿或劝解，或调侃，目的就是让我们停息争战，就是从来不对我们之间谁是谁非发表看法。

许多孩子都是这样做的，我慢慢想明白了，孩子没办法发表意见。一是，对大人的争吵内容，孩子根本不感兴趣，所以对于父母争吵的是些什么，他们不清楚，也不想去弄清楚，有时候对于大人的争吵内容他们并不理解。二是，家庭的事情就不好区分谁对谁错，许多争吵是有历史渊源的，夫妻间的争吵往往从陈年故事开始吵起，孩子们才不想动脑子思考这些纠缠不清的无关大碍的是是非非呢。三是，孩子们无法去评判，父母都是自己最亲的人，对于正在气头上的父母，说谁也不是，气着谁也不合适，生气的时候就不是讲理的时候，等到父母气消下来，什么问题也迎刃而解了。

孩子们并不是精，也不是在耍滑，真正懂事的孩子，对于父母的争吵不发表意见是最正确的立场。

10、疾病和死亡的话题

上午，与几个同事一起谈论疾病和死亡。

一个沉重的话题，一个令人压抑的话题。

年轻的时候，觉得疾病与死亡距离自己很遥远，生活中只有希望，时间、健康、青春都是可以任意挥霍的东西。这个年龄，满身是蓬蓬勃勃的朝气，满脸是清清亮亮的阳光，满心是征服一切的壮志。在年轻的健康的人群中，人到中年的我们，除了羡慕、除了自卑，还有对年轻时光的留恋和怀念。

到了中年，老态开始显露，腿脚不再似以前灵活，脑子不再似以前聪灵，身体不再似以前健壮，心情不再似以前清爽。自己的身体开始出现这样那样的毛病，身边的人也开始出现疾病、死亡。时不时的听闻谁又得癌症了，谁又濒临生命的边缘了，谁又死了，弄得心里沉沉的。聚在一起，谈论的内容多了对身体健康的关注，开始注意养生。

是啊，不久前还在一起谈天论地的人，觉得身体不适，一查就是绝症，令人扼腕叹息。我们在悲悯的情绪中，感叹一声：健康最重要呀！争什么也没有意思，再怀有多少壮志也终将成空。

不久前跑跳自如的人，自由得像风一样可以随意飘舞的人，转眼间因病残疾了、失明了，蜷缩在轮椅中，或者举步维艰，需人搀扶。心中再有多大的天空，也难以飞翔了。

自然的衰老已经在摧残着我们每个人，磨掉了我们许多的向往、许多的情感，让我们不得不收敛我们的野性，趋于安静、走向稳定，这是无奈。而疾病，更是把我们的生活领域缩小，我想这更是残忍。死亡更进一步的让一切消失，无所谓希望、无所谓痛苦，多少留恋也溶化在空气中，随风飘逝了。

衰老是不可抗拒的，疾病是防不胜防的，死亡也是不愿看见的。说到底，人还得好好过，但要尽量让自己快乐地过。当我们还拥有年轻的时候，要有活力地活。当我们还有健康的时候，我们健康地活。当我们还有生命的时候，我们就开心地活。

11、命由天定，运由己生

今天思考了一个词：命运。

我们好多人都有一个错觉，认为"命运"是一个词。其实命运是一个组合词，由"命"和"运"两个词组成。

战国时期的楚人，纵横家之祖鬼谷子说："命由天定，运由己生。"表示"命"是与生俱来的一些东西，是天分和条件，而"运"呢？则是一个人一生的行程，是运行，是时间，是变化，是后天的努力。命是静态的，运是动态的。

人与人的命是不同的，从出生开始，就注定了每个人与众不同的命。这不是迷信，这是科学。人从一出生，就产生了一些天分和条件，比如出生的地域、环境、家庭情况、家庭传统、父母受教育情况等等，这是客观存在的，不以人的意志为转移的，这就是命。

而运却是人可以掌握的，取决于你的主观努力。你是不是勤奋，你是不是善于把握你的命中的一些东西，你是不是能够利用天时地利人和发展自己，这都是运的内容。

命真的存在好坏，出生农村和出生城市命就不同，出生豪门与出生寒门命也不同。

有的人衣食无缺，家庭和周围环境创造了许多优越的条件，为他的成功打下了很好的基础，他需要付出的努力比命不好的人要少得多。比如，子女容易从事与父母所从事的相同的工作就是这个道理。

而有的人出身寒门，父母大字不识，要想成功付出的努力就非常大了。我们居住在县城，我一个朋友的女儿考入北京的名牌大学，她说，在他们学校上学的学生大都是市级以上城市的孩子，像她这样县城考入的人都很少，农村的几乎没有。

是啊，出生于城市的人占尽了教育资源的优势，从小接受的教育与农村就很不同。就像我丈夫的村子，孩子们从五六岁就得住校上学，并且还是复式班，老师都是待不了几年就要想办法调走的，师资力量和教学环境导致孩子们学习基础薄弱，在这样竞争激烈的社会，真是输在了起跑线上。

但是，从古至今，出身豪门的纨绔子弟、败家子比比皆是，那是他们有"命"但没有"运"；那些出身寒门却能成器的人也不在少数，那是他们虽然"命"不好，但他们"运"得好。

所以，"命"和"运"各占50%的成功几率，一半天定，自己决定不了，另一半却掌握在自己手里。当你感叹命不济的时候，要想想，我们自己手里还掌握着50%呢，这是我们自己可以掌握的。

所以，不管我们的"命"如何，必须要"运"，必须要努力，这样才能有好的命运。

12、心的支点

我们常常会感到孤独，感到寂寞，感到痛苦。

这些感觉人人会有。孤独寂寞中尽管有凄凉的美，诗意的美在内，却更多是痛苦。

我也有过，曾经很孤独、很寂寞过。而这种孤独、寂寞主要是我们把心的支点放在了别人的身上，别人对我们的态度决定了我们的喜怒哀乐，或者我们的心没有支点，无可依赖。

支点是什么？是支持，是支撑。心的支点是我们的心依赖、依靠的东西，这个东西支撑着我们的心。

我们依恋一个人的时候，这个人就好像是天，他的一句话一个表情能让我们哭，能让我们笑。甚至刚刚还是晴朗朗的笑脸，因为这个人，就会哭丧着脸；或者刚刚觉得无缘无故难受，因为这个人，突然就豁然开朗了，笑靥如花，就会明白：哦，原来刚刚难受是因为他！

是啊，我们很容易就把支点放在一个或者几个人的身上。

人心是会动的，不是停靠在那儿等着你去倚靠的，这是一个很靠不住的支点。

或许这个支点让你快乐过，给予你的是很大的安慰，给你的精神带来很大的支撑。但若把心整个的放在上面，痛苦也是会接踵而至的。倘使他真的就停在那儿等着你来靠，你也会患得患失：他若动了我怎么办？稍微有点风吹草动就会痛苦无比，就会想：他在干什么呀？是否跟别人在一起呀？他是不是不再爱我了？

这种结果，弄得大家都很痛苦，你依赖得感觉不牢靠，他被你靠得难受，身心俱疲。

对于这个人，我们只是一味地死缠烂打、轰轰烈烈，把全部的心思和精力放在他的身上，结果把自己搞得遍体鳞伤。

真的，你倚靠的这个支点或许会有一天就不再能够支撑你，支柱轰然倒塌。没有了支点，生活就没有了方向，倚靠惯了，自

山村道路。这条道路绵延数十里，将我们的山村与外面的世界连接了起来。

己的心已经无法承载这么重的负担。

所以，把心的支点放在别人身上太累，累人累己。

如果我们的心没有支点，也是心里空空荡荡，空得人心慌，让你觉得世界都抛弃了你，你只是一个孤零零地踽踽独行者，悲哀、失落、恐惧占据着你的心。

我们该调整这个支点了或者该有一个支点了。那就是把支点放在自己的身上，这是最可靠的支点。

自己的心永远在支撑着自己。让我们自己来决定自己的喜怒哀乐。

这就是要我们自立、自强、自尊。比如，在工作和事业里寻找慰藉，用读书和学习充实自己。

世事无常，在这个世界上没有永远的靠山，只有永远的自己。我们永远的靠山就是我们自己那颗永远的心！

把心的支点放在自己身上！

13、犯错

作为万物之灵的人类，也在时时犯着各种错误。

作为我们每一个个体，犯错这种事从小到大不知发生过多少次。一次次的犯错让我们成长，或者有时也让我们颓废。我们经过一次次的犯错，脸上有了沧桑，眼里添了浑浊，行事多了圆滑，但同时也多了许多干练，积累了许多经验。

常见道路上公益宣传标语这样写：生命没有底稿，不能重来。

我就常想，生活也没有底稿，不能重新来过。我们每天说的话，做的事都是现场直播，播过了就收不回来了，就永久保存于自己的生命中。再熟练的播音员在直播时都难免出错，所以作为日常生活来说，大多是没有准备的或者准备不充分的，犯错就在所难免了。

但是，常态来说，犯错却是大家都想避免的。犯了错误之后的自责和受到谴责都是很痛苦的事。一些小错尚可弥补，若是大错就是终生憾事了。

作为刑事法官，我就觉得活得累，活得战战兢兢。我们的职业要求我们不能亵渎法律，也不能使无辜者受追究。我们唯只有多出万般小心，不让自己出错。即使如此，我们还会有错误出现。出现错误不说是痛不欲生吧，最起码是追悔莫及，对自己的能力产生怀疑，退意顿生，不能释怀，心情在相当长时间内处于低谷。

遇到这种情况就会有人劝我，干事的人才会犯错，干事越多的人犯错就会越多，不要放在心上，是个人怎么能不犯错呀？更有人开玩笑说：常在河边走，哪能不湿鞋呀？说这话的人说完就自嘲一句：好像跟湿鞋没有关系的。虽然不合适，理是相通的。在较短时间内我是释然了，可良心账到底是交不了，还会时不时翻出来让自己难受一番。这也有好处，可以促使自己尽量少犯错。

在对待犯错上，我们也爱犯错，容易把过错责任往别人身上推，不由自主就从别人在这件事上的作用很大来让自己心理平衡。其实，在对待错误的态度上，首先应找的是自己的毛病，只在别人身上找问题，不正确对待自己的问题，会让自己责任感越来越差。敢于承认错误，感于承认不足，才会进步。

犯错虽然是不能避免的，但我们得修炼，明白生活每天都是现场直播，就得减少犯错机会，做一个熟练的播放员。

14、关于承诺的话题

当我写好文章标题的时候，我开始为我的这篇文章选信纸。我觉得承诺应该用明丽的色调，但应该用黑色的文字。因为承诺应该是快乐的，发自内心的愿望，同时，承诺又是严肃的不能轻易就做出的，所以这样搭配比较符合我对承诺的理解。

人这一生做出的承诺太多太多了。从小到大，我们几乎每天都在做着大大小小的承诺。恋人之间会说："我会爱你一生一世。"朋友之间会说："有事找我，我当效犬马之劳。"孩子对父母会说："我下次一定考好。"父母会对孩子说："你考上大学给你买一台手提电脑。"下级会对上级说："保证完成任务。"上级会对下级说："你做好了这件事我给你请功。"……这一切的一切都是承诺。

常说"一诺千金"，扪心自问，兑现者几何？

说"我爱你一生一世"，激情澎湃中，情不自禁发自内心的肺腑之言，我相信，在这一刻，相恋的人彼此真的相信，爱可以一生一世。

但是，那是一生一世呀！这么长的时间里，变数实在太多太多！且不说生老病死，你能保证你能永葆激情吗？你敢保证在对方落魄、生病的时候依然爱恋如初吗？你真的认为你们的爱情经得起时间的检验吗？

说"有事找我，我当效犬马之劳"，这句话往往是别人帮过你，而你当时正处在热血沸腾的时候的表白，你真的保证你做到了吗？我想有些时候别说犬马之劳，就是一般的帮助都不一定可以做到。

但是，承诺是我们的一种美好愿望，我们没理由不相信做出承诺时的真诚，我们也不能因为许多承诺没有兑现，从而怀疑一切承诺。

我见过夫妻相守一生，兑现了"牵手一生"的承诺；我有过对义薄云天、为朋友"两肋插刀"的誓言实现而发出的感慨；我曾经经历过为了一个承诺而苦苦相守的场景……

承诺是美丽的，带给我们希望、憧憬，我们的许多努力都是为了这份美好的承诺。但承诺是庄严的，我们不应该轻易许下承诺，而一旦做出来，就应该牢记自己的承诺，坚持自己的承诺，带给世界一片清丽的色彩。

15、节日感想

总听见有人感叹：现在节日太多了，中国的节日过，外国的节日也过。还有人感叹：现在的人崇洋媚外，中国节日都不好好过，还过外国节日。对于越来越多的节日大家众说纷纭。可是，这样感叹的人也在乐颠颠地过着各种节日。

这些年，节日确实越来越多了，无论中西节日、无论大小节日，大家都在庆祝，实际上是在找各种理由让自己快乐，希望把所有的日子都当成节日来过。你能记得你一年会过多少个节日吗？数也数不清呀！平安夜之后明天就是圣诞节，下来是元旦、春节、情人节、三八妇女节、母亲节、父亲节、端午节、劳动节、儿童节……多少个节日就有多少个祝福，大家就在这密密麻麻的节日中寻找着快乐。

明天又是圣诞节了，今天是平安狂欢夜，大家短信频发，祝福不断，快乐溢满每个人的脸庞。孩子打来电话，说他们同学们都互送钢镚儿、吃苹果度过今晚，口气里满是兴奋，让人的心在跟着欢跳。

还是因为时代变了，人们生活富裕了，能吃饱饭了，口袋里有闲钱了，人们就会重视提高生活质量，对精神生活的追求就会越来越高。大家的手机上每天都可以收到商场利用节日打折的短信，挑动着大家购物的欲望。过去日子过得穷，人们怕过节，因为他们要为过节费用犯愁。而现在不同了，人民的生活极大的富裕了，有钱的感觉就是，想吃什么吃什么，想买什么买什么，什么时候都可以过节，再不用为过节费犯愁了。越来越多的节日，其实正好给我们提供了更多花钱找快乐、消费买开心的理由。

越来越多，越来越受重视的各种节日，也说明了人与人之间沟通的愿望更加强烈了。社会竞争越来越激烈，人们的工作节奏和生活节奏也在加快，压力也在不断增大。渐渐地人们发现，兜里的钱越来越多了，但我们的生活空间却越来越小，与亲朋好友之间的沟通与交流也越来越少了，精神生活也越来越空虚了……于是，人们开始意识到，比金钱更重要的东西还有快乐，越来越多的洋节日正好适应了这一需要，它正好为大家增进友谊、扩大交流和释放快乐提供了绝好的机会。

现在的洋节日能够快速漫延，其实这些洋节日是对中国传统节日的必要补充呢。中国的节日比较注重对祖先、故人或鬼神的祭奠，如清明节、端午节等。而洋节日现代文明的气息更加浓厚一些，如父亲节、母亲节、情人节、光棍节等，能够关心到各个群体，让人更加珍惜活着的人，珍惜亲情。

不用为过什么节日以及过不过这些节日而感叹，无论是中国的节日还是西方的节日，只要可以给我们带来快乐，我们都应该真诚接纳并热烈欢迎，总之开心就好！

16、心态决定命运

心态决定命运，这是一句老话。人的心态很重要，可以决定生活质量，可以决定一个人的命运。

大家在社会中生存，处理好人与人之间的关系成为一个很大的课题，做好了并不容易，这就需要一个很好的心态。

每个人都是独立的有思想的人，都有想受到他人尊重和重视的愿望，所以不要一味让别人迁就自己。这里面体现着涵养呢。有涵养的人容忍度高一些，心态好一些，能对别人的不尊重加以容忍，一笑置之。而心态不好的人，斤斤计较，自己痛苦，别人也痛苦。两下一比较，谁更能赢得人气呢？答案不言而喻。

人气这事，看起来是小，关键时候却起大作用呢。要想有好的人气，就得端正心态。大多数人是善良的，即使偶尔有不善良的语言和举动，宽以待之，而不是以牙还牙，只能让对方不好意思，而不是步步紧逼。

还有，不要只是想着别人都在欺负自己，为什么就只欺负你一人？从自己身上找找毛病，自己做得都好吗？糊涂一点，不要用放大镜看别人的错误，多找找自己身上的毛病。

每个人都不可能会让所有的人都说好，当大多数人说某个人是好人的时候，那么这个人就是好人。但是如果当觉得大多数人都跟自己过不去的时候，那就是自己的问题了。

真的，没有好的人气，没人支持你，觉得处处羁绊，心情就不好，做事就会更加不顺，会恶性循环的。作为自然与社会的一分子的人，如果心态好的，与世界是相融的，那么就是快乐的，如果心态不好，与世界是不和谐的，必然是痛苦的。

命运是什么，说到底无非就是人是否活得顺心，做事是否顺利，能否心想事成。没有好的心态，实现这些目标就很困难。

所以，好心态非常重要，决定人的命运。

17、时间

常说，时间如白驹过隙，转瞬即逝。

其实时间过得快与慢，全在自己的感觉，这一点人人知道。

不知不觉间，每个人都在变化着，可以说，一生都是一瞬间的事情，何言每一天、每一小时、每一秒啊。不知怎么就过完了40多年，孩子也竟然上高中了，褓褓中的蠕动好像是在昨日一般。

2011年就又是仓仓促促地快过完了，好像还是鲜花盛开的季节，转眼间已是白雪皑皑。这一年来，季节的更替都是在我浑然不觉间就完成了，快得不及眨眼。

还有当你与知心朋友交谈时，几个小时快如闪电，尚未尽兴就得分开；当你玩着游戏，一关一关玩得正带劲时，时间从指缝间快速溜走；当你闲谈阔论时，猛然发现这时间过得让你恐慌，感觉还有许多事要做却是没有时间……过得说不过来的快，恨不得借一些时间来用。

而时间明明却也过得缓慢。当我回首过往的日子时，小时的伙伴见面不能相识，像是过了几个世纪，去过的地方不能记起，只是似曾相识，经历过的事情不能确定，犹如别人的故事。真是不解我怎么还有那么厚重、遥远的历史。

当面临无法应对的困难、不幸、疾病时，就想将这一刻匆匆翻过，不想让痛苦的日子如蜗牛般缓慢爬行。

近来感觉时间的慢，是等候收菜的感觉，看着还有几十秒钟就可以收获的时候，盯着显示屏，数着五、四、三、二、一，每一秒都感觉过得好无聊，却不想离开，这几十秒钟漫长的让我认为我可以跑上几千米。

快也罢，慢也罢，人生几十年都这样度过了。少年且别张狂，总有老的那一天；老年也别沮丧，自己的人生也曾相当壮观。我们都是时间长河中的过路人，珍惜活着的每一天，就不枉来这人世一趟。

18、那些我们认为遥远的梦想

上午，送女儿去学校，在熙熙攘攘的大街上，我开着车自如地穿行，就不由感叹了一句：真没想到，我真地可以开车到大街上了，跟做梦一样不真实。女儿笑笑，接过话茬说："我上一年级的时候，看见站在国旗下演讲的高年级同学，我想，如果我也能站在那儿演讲该有多好！结果到三年级我真的就上去演讲了。

上初一时，我也羡慕站在台上演讲的同学，我以为不会轮到我的，可是到了初三，我上去演讲还取得了成功。还有现在上的重点中学，我在初中时认为是遥不可及的梦想，最终我上了……"

跟孩子的对话，引起了我一些感慨。

人的一生要有好多梦想，人人皆是，毫无例外。

而回首我们曾经的梦想，有实现的也有未实现的，有甜蜜的也有苦涩的，但这些梦想都带给我们希望，带给我们动力，带给我们向往。

许多梦想就变成了现实，在实现梦想的路上，我们付出了艰辛，付出了努力，当然我们也收获了成功的喜悦。

梦想，实际上是我们的一个目标，要实现目标，首先我们要有信心，相信自己能够成功。许多孩子厌学，从心里先认为自己不是上学的料；许多成人，见困难就退，认为那是不可战胜的，这实际上是还没开始就给自己的能力判了死刑，就丧失了信心。连最起码的对自己的信任都没有，实现目标更是无从谈起，只能算作是白日做梦，永无实现梦想之日。其实，许多成功的人，并不一定就是天赋秉异之人，他们就凭借着他们的一种信心，一种精神，走向了成功。

实现目标，光是纸上谈兵也是无法完成的，需要的是为这个目标付出努力，朝着一个目标坚定地走下去。梦是美妙的，但是再好的梦，如不行动起来变成现实，那仅仅是梦，是老来咂吧咂吧嘴，与子孙聊天的一个话题，却永远成不了励志的故事。不去做，永远不知道自己行不行。都懂，无需多言。

实现梦想，还有重要的一点，那就是不受世俗干扰，勇敢走下去。因为我们生活在人群中，我们的行为要受到来自于方方面面的评价。当大家都在玩的时候，你在学习和工作；当大家都满足于现状生存时，你就要特立独行创出另一片天地；当大家都觉得不可行的事，你却在一意孤行去做的时候……这些，都可能被大家评论，甚至批评、抨击、讽刺，面对这些，还能够勇敢地走下去，这并不简单。

实现梦想，还必须有毅力，有持之以恒、坚持到底的精神。三天打鱼两天晒网肯定是不行的，这是走向成功之大忌，可能会使半生努力和坚持毁至于此。

就从我开车这件事来说吧，我自己以及我的家人都认为我不适合开车，因为我急躁、毛糙、胆子小，心理素质不好。丈夫曾经说：如果我领到了驾驶证就让我交出结婚证。但从我驾车以来的经历，我自己及家人、朋友都还认为我实际上很适合开车呢。我胆子很大，这是开车后大家对我的评价；我开车很稳，这是坐车的人给我的评价；我进步很快，这是看着我开车成长历程的人对我的总结。我竟然会开车了！这是我自己的感慨，尽管时常感到如做梦一样。

梦想距离我们并不遥远，可能就在一言一行一念之间。年少时，我们并不缺乏梦想，我们认为自己可以成大事，也在为自己成大事做着准备。随着我们的长大，我们变现实了，梦想也变得很现实，很近。长到一定年龄，梦想就成了自己的柴米油盐。随着岁月流失，我们在成熟着，但不论怎样，不论什么梦想，都不能缺少信心、坚持、努力、毅力等等品质。

那些我们认为遥远的梦想，在我们的努力和坚持中，会一步步地靠近我们，变成现实。愿所有人都好梦成真。

19、说没时间是借口

我写博客，总有人会说：哟，哪儿来那么多时间呀？

以前我听别人说打麻将，我也会惊讶地问：哟，哪儿来的那么多时间呀？

我现在知道了该如何回答这个问题，那就是：只要是想做的事，就会有时间做。

有些时候，说没时间是借口，关键在于自己是否愿意做。

因为我不喜欢打麻将，我就觉得我没有时间打麻将，我还有自己感兴趣的事要做呢，当然没有打麻将的时间。因为别人要辅导孩子作业，或者要看电视，或者加班工作，或者做生意……总之在做着自己感兴趣的事情，对写作不感兴趣，从而不写博客。

在感情上也是如此，当你喜欢某个人的时候，你好像所有的时间都是留给他的，你孤独为他，心乱为他，发呆为他，恨不得把你自己的一切时间都交给他。而若关系一般，你会觉得没有时间打一个电话，你会忘了你的约定，然后歉意地说：哎呀，忙死了，就没有时间。

真的没有时间吗？如果愿意，如果在意，停下车的时间可以打一个电话，休息的时间可以发个信息，跟朋友胡吹海聊的时间可以为别人办一件举手之劳的小事。如果愿意，没有人可以拘束得了你，没有人可以限制得了你。

说没时间只是借口，在心与不在心完全不同。

20、绳牵的友谊

朋友就像是用一根绳牵着的两方，各持绳子的一端，开始的状态基本在一个水平上，大家可以互相牵引着向前行走。但时间长了，就会出现几种情况：

继续互相牵引往前走，走好长时间，甚至一生，中间将绳子修修补补。这样的朋友是一生的朋友，同甘共苦，互相照顾、互相帮助，是亲密的好朋友。

一方走得快了，另一方跟不上步伐，绳子受不住拉力，总会断掉。这种情况，也许是快的一方不能停下脚步帮帮慢者，也许走得慢的一方自己就不愿意接受那样的速度、那样的节奏，也许是能力各有高下，两人渐渐不能行走在一个水平线上。

一方或者双方被别的绳子拉走了，绳子断了。由于有了外界的拉力，双方渐行渐远，不能顾及对方，自然慢慢疏远直至关系结束。

双方都在拉拉拽拽，一会儿拉紧了，一会儿又放松了。大家互相都给予对方许多自由，有事时大家走在一起，聊聊天，发发短信，帮帮忙，没事时自己做自己的事。

……

我想说的是，既然成为朋友就要大家都拉好这根绳子，互相牵引着往前走，不要指望朋友永远牵着你走，这样走下去，总会累，总会倦，总会失去耐心。而另一方，作为朋友，当你走得快了，发现朋友跟不上你前进的步伐了，你对绳子那边的朋友拉一把，或许就那一把，他就会跟上来，或许等有一天你走得慢了、走得倦了的时候，他也会拉你一把。

我还想说，作为朋友，请你注意维护牵引着你们的绳子，互相关心，互相爱护，这样能走得更长远。

21、人生如行路

已经有无数人阐述过这个古老的话题，我依然觉得有兴趣说说它。

人生如驾车行路一样，需要不断做出判断。

初驾车者，对于汽车、对于道路、对于规则等等都是不熟悉的，时常判断不出汽车的轮子到了哪里，时常顾了看前边顾不了看左右，顾不了看倒车镜，有时候觉得路很宽而车辆偏偏就过不去，有时候又在很宽的路中间徘徊，生怕过不去。这个时候，人的判断能力很差，一不小心就出差错。

但是，所有熟练的驾车者都是在这样的一次次的准确与失误的判断中得到提高的。即使熟练了驾车，还是需要不断做出判断。一般情况下，都是这么一帆风顺地行驶，一些不经意间出现的小波折，基本上凭经验、凭直觉、凭本能不自觉地做出了正确的判断。

而路况和车辆本身具有复杂性、多变性，一些大的判断也要不断做出。比如到了岔路口，需要判断正确的方向；比如明明常走的路被堵了，需要做出判断；比如猛然出现的险情，如何躲避不至于发生事故。

判断在我们行路中非常重要，判断对了，顺风顺水，可以去自己想去的地方，可以办自己所办的事情，能够踏踏实实睡觉，清清静静做事。如果判断出现失误，轻者可能车辆发生一些刮擦，或者白走冤枉路，耽误时间；而重者，则可能车毁人伤亡，或者误了大事悔恨终生。

我们人生也需要不断判断，大到职业的选择，结婚对象、交友等的选择，小到如何着装、如何与人交谈等的选择，都需要通过判断做出来。大多数人都按照正常的轨迹行事，该上学了就上学，该择业了就去择业，该谈对象了就去谈对象，而去哪儿上学、几岁上学，选择什么职业，跟何人谈恋爱却是需要做出判断。

小时候，我们正常的玩耍如同行驶在一条笔直的大道上，好像只管往前走就行。但是，如同道路上会意外出现一个小坑，或者出现一个行人，需要人迅速做出反应一样，我们在玩耍中会跌倒，会与小朋友发生矛盾，会想做一些父母反对的事情等等，我们在判断中做出行动，与这个世界、与小朋友、与父母等等形成一种关系。上学也是一样，看似顺顺溜溜地进行着，实际上依然与周围世界产生着博弈，需要不断判断。每一个阶段我们都有每一个阶段的许许多多看似不起眼的判断，正是这每一个阶段的成长，形成了我们的人生观、世界观、价值观。

由于每个阶段的经验积累，使得我们能够在择业、结婚等重大事情中做出正确的选择。人生需要面对许多十字路口，选择不一样，做出的判断不同，结局会不同，可能就是完全不同的人生。但我认为，人生的选择并不同道路的选择一样那么客观，那么是什么就是什么，人生的判断和选择关键是在生活态度和观念的判断和选择上。如同驾车中熟练的驾驶水平和遵守规则的驾驶习惯对于驾车行路很重要一样，人如果拥有对人生认真负责的态度、健康向上的品质、渊博的书本知识和社会知识，无论做出何种选择都应该是成功的人生。

22、做好自己

一个朋友，在一个岗位上多年没有调整，眼看着许多与他资历、能力相仿或者不如他的人都调整到比较好的工作岗位，他依然一如既往地努力工作。许多人打抱不平，在他跟前说，你不觉得你伤心吗？别人有权有钱有靠都得到了提拔，像你这样有能力又肯干的人得不到重用你还干的什么劲呀？你也混得了。

现在有些人为了能够得到提拔，到处寻求各种途径，有钱的靠钱，有人的靠人，会巴结的靠巴结，运气好的也能在适当的时候捡个大便宜……而埋头苦干的却不一定就能得到提拔，这在一定程度上打击了一部分人的工作积极性，心里不平衡的人大有人在，人浮于事的大有人在，想尽一切办法往上窜的大有人在，讽刺打击积极工作者大有人在……于是埋头工作有时成了"傻帽"的代名词。

但是，我的朋友在别人这样问他时，他回答说，我没有权没有钱没有后台不会巴结逢迎，我只有工作，没有了工作我还有什么意义呀？领导用的就是我的工作，如果我连努力工作也没有了，我更没有用了，所以我还是该做什么做什么。

很简单的一句话，让我豁然开朗，是呀，如果我们什么也没有，最后连努力做工作这一点也没有了，我们的价值何在？我们安身立命的支点何在？每个人有每个人的处事方式，每个人有每个人的特点，别人身上具有的我们不一定有，而我们身上具有的别人也不一定有，所以，保持本色，做最好的自己。

我们很容易受别人情绪的影响，容易受外界环境的影响，并不知道自己真正需要什么，自己可以做什么。我们艳羡别人的成功，在失败面前气馁，拿别人的标准来评判个人成败，细细想来，人与人是不能比的，俗话说，人比人气死人，关键是做好自己。

我觉得做好自己是快乐的，我们不具备别人的本事，我们就尽最大能力发挥自己的特长。人生什么是成功？提拔了、当官了、发财了是所谓的成功，而我们做自己感到充实的事情，我们快乐的生活，也未尝不是一种成功。

所以，做好自己！宠辱不惊，看庭前花开花落；去留无意，望天空云卷云舒。

23、爱护公物

小时候，我以及我的同学们的操行评定一栏中总喜欢填写"爱护公物"，就如我们现在总要在述职报告、个人总结以及一些自我评定中填写"政治坚定"一样，似乎不写这些就不完善似的，成了一种死格式。其实我知道，那时我们都没有认真思考过我们是否真的爱护公物，但可以说，我们都做到了。

走上工作岗位之后，我依然喜欢把爱护公物作为一项基本品质写进我的自我评定中，为此还遭受过别人的笑话，曾一度不敢再写，觉得很小儿科。但我自己明白，这时候，我是经过思考写进去的。是的，有了一定阅历之后，我对自己的评价都是经过深思熟虑得出的，我希望自己，同时一定程度上也相信自己是名副其实的。

从上学开始，我们的老师和父母就教育我们爱护公物。但具有讽刺意味的是，爱护公物教育却仅仅局限在学校中，提倡爱护公物最多的地方也是在学校，不信你在百度或者谷歌中搜一下"爱护公物"这个词，全是与学校有关的，难怪我们小时候以及现在的学生们都会那么重视操行评定中的"爱护公物"这一项。

确实，爱护公物这一品质，做得最好的是学生，尤其是小学生，在他们心目中，学校的一草一木都如自己家的东西一样，甚至一定程度上比对自己家的东西还爱护，不但自己做得好，还敢于阻止、揭发不爱护公物的行为。随着年龄越来越大，人却变得越来越自私了。什么东西，是公家的，是集体的，就可以不加爱惜，甚至任意挥霍、随意破坏。一旦成了自己的，就会倍加爱护，视如珍宝。

不只是我，我相信许多人都见过这样的情形：单位水龙头的水哗啦啦地流泻无人问津；大白天在办公室开着明晃晃的灯，甚至下班回家也不随手关灯，任凭这灯光整天整晚地亮着；办公室洁净的白纸信纸乱扔乱丢；绿油油的草坪硬是践踏出一条便道；街上的垃圾桶被掀翻在地底朝天；清澈的河水中扔进塑料瓶、砖石等杂物；雪白的墙上被涂上乌七八糟的文字图画，甚至出现脚踏的印记……恕我不再一一列举，总之一句话：不是自己的就不知道心疼。

不只是我，我相信我们大家回到家里都会这么做：只要不用的灯就不轻易点亮，洗了脸的水还会用来拖地，甚至把拖布拿到公共水龙头上去涮洗，仔细擦拭墙上的每一点污迹，要求孩子的作业本正面写完了，反面用来写草稿，小心呵护家里的每一件物品……够了，也是一句话：绝不浪费，爱惜有加。

遇到随意践踏破坏公物者，我们都会嗤之以鼻：缺德！是的，这些人是缺乏公德之心。他们不明白，公物是为大家服务的，我们每个人都是这些物品的"主人"。公用设施是为了满足大家的需求，公共绿地是为了美化我们的环境。在我们工作的单位里，在我们生存的空间中，我们都是主人，我们当如爱惜自己家的东西一样呵护着属于我们每个人的一草一木、一砖一瓦、一滴水一度电一张纸一粒米……

我想，不只是对学生，对我们每一个成年人更应该进行爱护公物的教育。学校教育再好，一旦走入社会就会耳濡目染，把老师的教诲丢在风中，轻者漠视公共物品的浪费及破坏，重者就加入到浪费和破坏的行列之中。

爱护公物，看似小事，看似不值一提，却事关重大。当地球上的水资源越来越缺乏时，关紧水龙头，不让一滴水浪费掉就是对生活的大地的爱护；当环境污染越来越严重时，节约使用物资，低碳生活，保护环境就是我们对我们后代的保护；当我们扶起倒在地下的垃圾桶，当我们绕开草坪行走，当我们捡拾起随地乱扔的杂物，就是对我们生活的城市的一份贡献；当我们把自己办公室的物品如自己家的物品一样珍惜，就是对我们得以安身立命的地方的一份报答……

所以，爱护公物是一种美好的品德。我希望，我们还会像我们小时候一样，在对我们自己的评价中毫不愧疚地写上：爱护公物。

24、年轻就是资本

刚满 19 岁，我就背上铺盖去一个乡村中学当教师，同宿舍的是一个 28 岁的尚未婚嫁的老师。在当时的我看来，28 岁真是一个不小的年龄。记得一天早晨刚睁开眼睛就看见同宿舍的老师在我床边盯着我看，见我睁开眼，她说了一句：年轻真好！

后来我到教育学院上学，那时也就刚满 20 岁，由于是成人学校，班里年龄参差不齐，记得一个已过 40 岁的老师看着我以及和我同龄的同桌说：年轻就是资本！

那时候我根本不懂年轻就是资本的含义，总觉得自己个子不够高挑，长得不够漂亮、不够白净，时常陷入自卑之中，现在想来自己的青春岁月都没有恣意绽放过。我买了新衣服，总是这样胆怯地问别人说：难看吗？从来不敢大声问一句：我穿上这件衣服好看吗？

再长到一定年龄，比如而立之年，相信俗话说的"女人三十豆腐渣"，觉得自己老了，年轻已离自己远远而去，更加不敢张扬自己的青春。到了现在，已经是不惑之年，看看二十多岁、三十多岁的人真是太年轻了，真是令人嫉妒的年龄，才彻底明白了年轻就是资本那句话。

年轻首先是美丽的。就如晨露一般晶亮，如花朵一般耀眼，如春草一般葱郁，年轻的人，胖有胖的丰韵，瘦有瘦的俏丽，高有高的风度，低有低的娇美……。人一到一定年龄，当青春不再之后，就像是塌了架子，无论高矮胖瘦，都没有了那种青春的味道。

年轻是有优势的。就像春天的原野，郁郁葱葱，花儿招摇，草儿恣意舒展，像是整个天地都是自己的一般旁若无物。是的，年轻可以有许多规划，可以从头开始，可以有许多选择，可以有美好的前途。现在无论是企业用人还是单位提拔人，首先会有一个年龄杠杠，把一定年龄之上的人排除在外是一个明显的例子。

年轻是有活力的。如拔节长高的草木，跳跃着飞奔着不知疲倦往上窜。因为年轻，身强力壮、腿脚灵活，能熬夜、能负重，无论多累，一觉醒来照样精神焕发。到了一定年龄之后，劳累的感觉就占了上风，好像总不能休息过来，记忆力、体力、精气神明显减退，不由感叹：廉颇老矣，尚能饭否！

年轻真好，年轻就是资本！年轻人输了也可以自信满满，赢了也可以自信满满，年轻没有什么不可以！

而年轻与年老无疑是个相对的概念。70岁的人可以说60岁的人是年轻人，而20岁的人会认为30岁的人很老；60岁的人在自己的80岁的父母面前会觉得自己还小，而30岁的人会在20岁的人面前感叹：我真是老了！

每个人，相对于过去，自己不再年轻，相对于未来，自己还很年轻。只要我们活着，我们就还有未来，对于未来我们还有资本，我们没有了青春亮丽，我们还有智慧经验；我们没有了前程，我们还可以做工作，即使没有了工作，我们还可以做力所能及的事情；我们身体变差了，我们最起码还有生命。所以，什么时候都不存在放弃，我们活着我们就有资本。

对于以后的岁月，我们照样可以说：年轻就是资本！

25、认真到指尖

　　每天，我们都会随着朝阳一起做早操，这是我们上班后做的第一件事，也是我们工作的一部分。

　　大家都在音乐的伴奏下一板一眼地认真地伸手弯腰蹬腿，虽不能像运动员那样标准，却也是在自己能力范围内尽力做到完美。但是，不管怎么努力，能够把手指伸直，脚尖绷直的人几乎没有，当然，我也没有做到。

　　指尖是人的神经末梢，血液都容易在这里出现回流能力减弱、循环不畅的现象。因此让我们做动作时能够关注到指尖是非常难的。

　　我努力过，试图让自己认真到指尖，伸直手指、绷紧脚尖，但发现，这样做非常累，完全不如放松些舒服。并且，认真到指尖是需要用心去做的，需要时刻提醒自己，稍不注意就会松弛下来。

　　认真到指尖的另一种说法，其实就是用心做事，就像做操，如果要注意到指尖的动作就得用心。我们或许可以做到认真做事，但做到用心做事，认真到指尖就很难了

　　由此我想我们的做事，无论做什么事，做到精细、做到完美、做到首尾一致非常难。惯常，我们对自己的要求基本定位到过得去就行。我们做事，总会开头热情很高，做得非常完美，做到后面，累了失去热情了，收尾工作总是差强人意；或者把需要用心做的事纯粹是当成差事来应付的，大致表面上的活都做了，好像

看不出什么毛病，仔细一看总有一些漏洞；或者从心里就认为做到那样就足够了，没必要做那么好。

海尔集团总裁张瑞敏说："中国人做事不认真、不到位，每天工作欠缺一点，天长日久就成为落后的顽症。"我们做事也容易堆积问题。记得有一年全市交叉评查案卷，检查组到来之前，我们首先进行自查，发现问题及时补正。就在这次自查中，我发现，我们的案卷很整齐很规范，程序到位，实体也没问题，而案卷中一些文书填写不全的现象却普遍，这都是平时工作马马虎虎不注意细节积累的问题。于是，我拿起笔开始填空，就是一些名字呀、数字呀什么的小东西，结果我用了整整两天时间，写得头晕眼花胳膊疼。我就认识到这与我们平时工作没做到位有很大关系，实际上这些工作应该平时在办理每个案子时，举手之劳填上就行了，积累到一定程度再做是一件很可怕的事情，还好我们把这些补全了，如果我们没有补起来，若干年后需要查一些东西的时候，这些就是欠缺。

有人说：认真做事只能把事做对，用心做事才能把事做好。人与人的能力有差别，而做事用心与不用心，结果就差别很大。举一个很明显的例子，大凡成大事的都不是那种常人眼里很聪明的人，成功的原因只有一点，勤奋！在学校太聪明的学生容易被自身聪明所误，不够用心。其实不用担心自己不够聪明，水平不够高，高水平认真起来，就是精水平；低水平认真起来，就成高水平。

因此，我很敬佩认真做事的人，当神舟飞船成功腾空升天的时候，我激动得流泪了，不是因为中国科技的发达，而是因为这个庞然大物的精密感动了我，参与这项工作的有领导、有技术人员、有普通工人，在这个多个部门配合才可完成的高科技庞然大物面前，任何一个环节出现一点小问题就是巨大损失。

这是大的方面，在小的方面，我会为一个专注的神情感叹，会为一个认真的举动鼓掌，会为一个不顾冷眼而依然坚持认真做自己的人竖起大拇指……我还会以每一个认真到指尖的人为师，用心做自己的事。

26、快乐和成功的评价标准

什么是成功？什么是快乐？我想不同的人有不同的回答。

我家的旧房子出租出去了，丈夫中间去过一次，回来大加感慨，说是我们的那个房子在租房人家手里焕发了青春的活力，我们住了十多年从来没有如此干净整洁过。这一点我是很承认的，尽管我常用"一屋不扫何以扫天下"这个道理来告诫自己，要想成功首先需要把自己的家收拾好。但是我无论如何努力，在我哼哧哼哧地收拾半天之后家里还是原样，并且我为浪费了这么多宝贵的时间来收拾家心里空虚。在我看来，这么多的时间我可以看许多书呀，我还可以写一些文章呀。而我拜访这家人后了解到，这家女主人的观点就是，她为了老公孩子放弃了自己的工作，她的一切努力都是为了这个家，丈夫和孩子的成功就是她的成功。她还说，她若不把家收拾干净了，那是坚决不会休息的。

这是一种习惯，这也是我与她对待成功和快乐方面的不同观点和态度。哪一个更好一点？我无法评价，我想大家也无法评价。由此我想，每个人都有自己的爱好和习惯，也都有自己对待快乐和成功的评价标准。

有的人喜欢交朋友，每天呼朋引伴，你来我往，热热闹闹，这样就觉得开心快乐，而评价一个人成功的标准就是有没有朋友，结交了些什么朋友。

有的人喜欢安静，独处一隅，或看书，或发呆，或做事，或休闲，所有业余的时间任自己支配，不受人情所累，感到内心充实是最大的快乐与成功。

有的人追求当官，其爱好就是钻研升迁之术，不但工作中注重政绩，还注意了解干部调整动向，明白领导爱好与需要，每一次升迁都能带来莫大的成就感与快乐。

有的人则无欲无求，一心经营自己的家庭，管他东西南北风，一家人团团圆圆，每天能够一起享受天伦之乐就是快乐，一家人平平安安，身体健康就是最大的成功。

有的人喜欢游山玩水，名山大川去过，无名阡陌跑过，吹动着大自然的风，感受着不同的地域的人文环境，快乐由此而生，成功的感觉由此而来。

有的人喜欢读书，古今中外、经史子集，无不涉猎，拥有书是快乐的，读好书是美好的，看着满当当的书柜，每天有书相伴，快乐充实自然产生。

是的，不能一一列举，爱好不同，快乐和成功的定义就不同。每个人有每个人的成长环境、生活习惯、家庭背景、兴趣爱好……这些就造成了人与人对待快乐和成功的许多不同看法。

我们常能听见一些对别人的评价，比如，有的人爱玩，就有人评价说低级趣味不学无术，其实，喜欢玩的人因玩而快乐，业余时间玩玩也无可厚非的。比如有的人喜欢读书，就有人说这个人是"书呆子",那是评价者没有体验过读书给人带来的快感。

就是这样，没有什么好坏，鱼有鱼之快乐，虾有虾之情趣，只要活得开心，活得充实，那就好。

27、季节更替

春天来了！

春天却又不是那么一帆风顺就来到了人间。冷空气好像不那么情愿退出舞台，仍然时不时带着冬的冷酷出来耍耍威风。

春打六九头之后，一场降雪以疯狂的态势降临人间，寒冷甚于三四九。但天气回暖速度也很快，人们沐浴在春天的暖阳中，花枝招展地打扮起来了，树木也开始泛绿，干枯的枝条变得柔软起来。

最近天气预报又说，一场降温又要来了，在正月十五，人们将欣赏到雪挂花灯的景色。于是人们又把准备储藏起来的冬衣拿了出来，准备迎接新一轮的降温。

但是，春天的脚步是挡不住的，每一场肆虐的寒流退潮后，是更加温暖的春意。春天就在这样的一次次跟冬意的博弈中，花团锦簇，绿色漫天了。

每一个季节的变化都像春天的来临一样，反反复复的几次波折之后，新的季节才能站稳脚跟。

人的一生需要经历许多变化，从幼年到童年，到少年，到青年，到中年。人在一次次的挫折之后走向下一个阶段，成长、成熟。就像季节变换一样。呀呀学语的孩子，跌跌撞撞中走得稳健了；贪玩的孩子，哭闹耍赖无果，委委屈屈走向学堂后逐渐适应了集体生活；踌躇满志的青年，在多次的头破血流的挑战之后，适应了社会，走向了成熟……

可喜的是，每一次挫折之后，都会像鸟儿换了新的羽毛，长大了，变美了……

就像唯物辩证法所说：事物的发展是螺旋式上升，不可能一帆风顺，直线上升。

丰收在望。五月的田野生机盎然，幼嫩的小苗茁壮成长，保墒的地膜呵护着庄稼，丰收的美景在一笔一笔描画。

所以，面对挫折，我们不能惧怕，不能退缩，一定要坚信，战胜了困难，就会有更大的进步。没有经历挫折和失败的人生，是不健全的人生，有首歌不是说"不经历风雨怎能见彩虹吗"？

战胜挫折，挑战自我，才能发展自我、完善自我。

28、年龄断想

不知不觉已虚长 40 有余，同龄人围坐一起，不胜感慨。

小时候，40 多岁就是我奶奶的年龄，穿着偏襟小袄，打着绑腿，梳着发髻，真的好老。上班以后，40 多岁是我们现在已退休的老领导的年龄，业务精通，说话威严，行事庄重，我敬而远之。现在，我 40 多岁了，感觉我们的同龄人依然困惑着，依然如小孩子样顽皮着，总觉还没长大，时常忘了自己的年龄。我就常常想不通：我怎么没有我奶奶那么老？我怎么没有老领导稳重威严？

直到有一天，一个小孩初次见我就毫不犹豫叫我奶奶，我明白了，在孩子的眼里我是老了。直到有一天，发现年轻的同事见了我恭敬地称呼着我的职务，我也明白了，在年轻人的眼里我也是受到尊重的，说明我也有威严。只是我们自己不觉得自己在变老，我们嬉闹顽皮是在我们自己同龄人的圈子里。如果一个明显年龄小于我们的人与我们开玩笑，我们会认为这些年轻人不懂礼貌，我们有受辱感。所以我们总感觉不到自己在变老。而这一切如镜子照着我们，让我们明白我们确实在渐渐变老。

以前我老笑话那些年长者弄不清别人的年龄大小，而当我现在也渐渐弄不清年轻人的年龄时，我才知道这也是变老的一种迹象。因为在我们的眼睛里，10 来岁是孩子，20 来岁也是孩子，30 来岁仍然尚小。我们都是以自己为参照物观察一切事物，那些青春岁月在距离我们渐渐远去。我们 30 多岁时感觉自己已经很大，而现在我们看到的 30 来岁依然青春焕发，在我们看来，他们都很年轻。

年龄最不饶人，对于所有人都是平等的。岁月的痕迹毫不留情地刻在每个人的脸上、身上、心上。或许有人会说，人家有些人就显小，40 多岁甚至 50 多岁了还如 20 几一样光鲜亮丽。我承认这样的人不少，养尊处优，重保养，会使人外表看起来年轻不少。但是你看看他们的眼神，怎么会像 20 多岁一样清澈纯净？分明有一些岁月的历练在其中。仔细看去，全身无处不在暴露着自己的真实年龄，松弛的脖颈、松动的牙齿、擦多少层粉也掩饰不了的皱纹……只是"显小"而已，并不是真的小。

40 多岁，论数字，是如此的轻飘，而却是 40 多个春夏秋冬沉甸甸的叠加。这个世界上，最踏实的最实在的莫过于时光，无论我们成功失败，无论我们在充实地做着事，还是在虚度着年华，我们都会实实在在地度过每一个日子，时光绝不会在我们身上偷懒。这些叠加的日子里，我们经过了许多人，经历了许多事，许多的人事距离我们已经很遥远，已被尘封在岁月中。这些沉甸甸的过往，压弯了我们挺直的腰身，浑浊了我们明亮的双眸，搅乱了我们对走过的时光的回想，在我们的脸上、身上、心上打上了褶皱。我们还会继续经历许多人事沧桑，直到我们不再能够经历这些一日复一日的日子，直到时光于我们戛然而止的一天。

随着年轮一圈一圈的增加，我们在收获着，我们也在失去着。天地间万物皆如是，一切顺其自然。

29、你快乐吗？

朋友发短信问我：你快乐吗？我回复：无所谓快不快乐，关键是要说服自己，其实自己有许多快乐的理由。

其实朋友这个问题是困扰我一上午的问题，我一直在说服自己快乐。上周结束时我的工作上出现了一个不小的失误，今天一来上班就纠正。这几天来我一直陷入自责之中，晚上做梦都是这件事，几天来心情就沉重着。本身自己就因为自责而产生了不快乐情绪，又因为他人的指责而使不快乐加倍，另外还因为一些闲事又使不快乐增加一些。

幸好纠正及时，没出现一些不必要的后果，基本上没出现问题。但是我还是面对着阴沉的脸，因此改正错误并没有使我心头轻松。我坐下来后一个人静静地思考，难道我就因为这么一件事剥夺自己的快乐吗？好像不应该。于是我努力提醒自己快乐，告诉自己我有许多快乐的理由，以便卸下心头的重担。

快乐是一个多么美好的状态，我们每天寻求着快乐，悉心地呵护着自己的心灵，不让自己产生不快乐的情绪。但是快乐却好像是一个奢侈的字眼，不快乐成为一种通病，就像一首歌唱道：快乐的人没有几个，不快乐的人有很多……并且不快乐的情绪像是病毒，会传染的，会蔓延的。

影响人们快乐情绪的因素有内在的因素，也有外在的因素。内在的因素就是自己的欲望，因为欲望的无止境导致我们心态的不平衡，心态不平衡就会产生不快乐情绪。外在的因素，大到超高的房价、巨大的工作压力、教育问题、医疗问题、食品安全问题等，小到一个单位体制的问题、人员配置问题、单位环境问题等。能让我们不快乐的东西似乎总多于让我们快乐的东西。所以，快乐是那样短暂，而不快乐却是那样漫长。比如我们得奖了、发财了、受表扬了、通过某个考试了，欣喜的时候似乎只是几天，甚至只有一会儿，接下来又是无边无界的不快乐。

每当我不快乐的时候，我就想一些能让我快乐起来的人和事。这种方法于我还是比较奏效的，我总能找到许多理由，比如今天上午，在我纠错的过程中，许多人善意的笑脸，谅解的话语，鼓励支持的眼神，都让我很欣慰，毕竟还有这么多人理解我，我有这么好的人缘，这足以让我有勇气抵挡责难，足以把笑意摆在脸上。

当有一次我将这种"让自己快乐法"告诉朋友时，朋友说，你这是阿Q精神，影响不快乐的因素并没有真正消失，傻开心什么呀？是呀，开心什么呀？我那天没有回过味来，今天我明白了这样一个道理：难道不快乐能够有什么用吗？遇到问题及时纠正，遇到困难及时解决，而不能让不快乐久久郁积。快乐的情绪可以带来许多好处，乐观对待一些烦心事，可以减少郁闷，让心头宽解，不至闷气郁积，对身体有好处；紧缩眉头不能舒展，长期处于一种表情，容易形成这种表情纹，久之脸部变形不美观，而时常的眉头舒展却可以让人看起来舒服；总阴郁着一张脸，牢骚满腹，或者让别人不敢接触，或者让别人厌烦，影响人际关系。而快乐的情绪、宽容的笑脸却能为自己赢来好的人缘。

快乐需要提醒，需要自己寻找。当你用一张笑脸迎向世界时，世界还给自己的也是一片晴明。越快乐的人烦恼越少，越不快乐

的人
少

30　　　良

没

良
大
依

准
离
州
与
有
此

在
意
白
理

了计较，计较

乐哦!

善被人欺! 好人

让许多人对做善
善良的，即使在
由此可见，善良

己善良的评价标
残了，牛鲜花不
，牛鲜花依然为
帮帅子养大了他
…对于这个剧情，
善良，做人当如
!

在我看来，牛鲜
杂念，真心的愿
精神是成熟的，她
自己对于善良的

其实生活也如电视剧一样，牛鲜花式的善良常被帅子和刘青这样的人践踏，有些时候善良成为"窝囊"的代名词。因为善良，便多了对别人的理解，少了对别人的计较，多了对别人的宽容，少了对别人的苛责……因此，理解者报以感激，不理解者嗤之以鼻，不良善者则步步紧逼侵入领地。

有人说，善良要有原则。这个原则就是，对于善良待己之人以善良待之，对于不善良之人则"以其人之道还治其人之身"，没有必要再施善良于他。

这个问题也是我常思考的问题，我常为自己的无原则善良而痛悔，但事到临头依然不由自己，又尽自己所能帮助一切需要帮助的人，不管曾经是否伤害过我的善良。如果这样的事情一而再再而三的发生，就如同别人骂牛鲜花一样，我从心里鄙视自己，骂自己没出息，笨蛋，死人。

然而，人性这东西一旦形成是不好改变的，并且随着阅历的增长，认识的提高，我也渐渐明白，一味在乎别人是否对得起自己，斤斤计较，时不时再讲究些原则，本身就是不成熟的表现。真正的善良是不在乎回报的，唯只以能关爱他人，帮助他人作为自己的快乐。

善良是幸福之源，是快乐之本，只有善良才能一心一意无愧地做好自己的事情，只有善良才能摆脱无谓的消耗和争斗，营造和谐氛围。

我希望自己做一个真正善良的人，不管别人如何说，不管别人如何做。这样做了，心头永远会有一轮阳光在照耀。

31、人生这个考场

人生就是一个大考场，在这个大考场中，考试无处不在。

进入学校，各种各样的考试就将我们团团包裹起来，单元测试、月考、季考、期中考试、期末考试、学科竞赛、小考、中考、高考以及一些说不上名目的测验、考试、练兵等等等等。一年一年地考下来，一级一级地升上来，一个学校一个学校地上过来，我们经历过的考试不计其数。

等到上完学了，我们走上了工作岗位，长长地舒了一口气，以为可是考完了，不再经受考试的折磨了。殊不知，考试并没有结束。学历不够的，再考成人函授学校，还想再进步的考研、考博，然后在为了取得这些证书的途中，又不得不进行一次又一次的结业考试、毕业考试、论文答辩等等。

这些证书的取得并没有结束我们的考试征程，在岗位上，为了胜任工作，为了评职称，为了个人进步，我们需要一些专业技术证书，比如司法资格证书、会计证书、计算机等级证书、教师资格证书……各个行业要求的资格不同，需要的证书不同，但相同的是都要经历考试。

这并不是最后的考试，还有各种考试等着我们，比如每年的普法考试，比如人大任命干部的任前考试，比如专业技能考试，比如部门规章考试，比如廉政考试等等等等，复杂多样，我都不知道每年要进行多少场类似的考试。

我原来以为考试也就是这些内容，无论什么考试，我们历经考场的人已经无所畏惧了，能够勇敢面对，并完全能够达到标准。我以为，经历了这些之后，再没有什么考试能把我们难住。事实证明我错了，这些考试都是表面意义的考试，是浅层次的最简单不过的考试。

从事法官工作，我越来越感觉如履薄冰，工作更加小心翼翼，对于办案的程序和效果愈加重视。面对开庭，我总是做好各种准备工作，反复阅卷、查阅相关法律，做好应对各种庭审突发情况的准备。即使这样，我依然惴惴不安，即将开庭我还要拿上案卷和法律书籍再翻阅，生怕出现什么纰漏。有一次我突然发现，这种状况与我们在学校考试之前即将发卷之时临阵磨枪的情况何其相似！我总结多少年的法庭审理工作经验和教训，感到只要准备充分的庭审就是成功的庭审，如考试复习到位，结果就令人欣慰。如果仓促应战，将会是手忙脚乱，没有次序，一如没有好好复习就参加的考试，可能考试不会理想甚至不及格。

由此我就突然明白，以前在学校的考试只是练兵，真正的考试是在我们投入社会这个大考场之后。

就说工作。以前的学校学习为我们进入工作这个考场打下了必要的知识基础，这是我们应对工作这个考试的资本。我们一次次处理一些小问题就是一次次小测验，而我们处理工作中的疑难复杂问题，就是一场场阶段性考试，是对我们一段时间工作的测试。在这一次次无论成功还是失败的测验、考试之后，我们积累了许多经验，取得了很大进步，使得我们能够有信心迎接更大的考试，更繁杂的测试。在这些考试的磨练中，我们成长了，成熟了，我们可以令人放心地独挡一面了。尽管如此，我们依然不能满足，不能松懈，因为挑战无所不在，各种考试依然会猝不及防地到来，稍不留意我们就会惨遭失败。

　　做人做事亦如是。我们做的每一件小事既是对我们能力的考试，也是对我们做人的考试。从牙牙学语开始，我们就开始主动和被动地锻炼着自己做事的能力，如同从小学到初中到高中到大学一样，随着我们年龄的增长，随着我们知识和阅历的增加，我们通过了一关一关的考试，失败过成功过，考过优秀考过不及格，有过开心，也有过沮丧。无论如何，我们做事的能力在增长，我们越来越强大到敢于应对各种考试。在做事的同时，我们做人的能力也在不断提高，做事的成功和失败的经历告诉我们，一定要认真地正直地做人。当我们诚实地坦然地做事时，我们作为一个人的考试就成功了。雷锋说：一个人做一件好事并不难，难的是一辈子做好事。人人心里都有一股邪恶的自私的东西时不时闪现出来，使得我们的恶念滋生，在我们待人接物的时候，每一次抑制恶念，使善良发光的行为都是一次成功的做人的考试。一旦让这种善念成为习惯，成为我们必不可少的品质，那就是我们做人真正的成功，我们就能够经得起所有的诱惑，坦然应对各种考试了。

　　当我们生命终结，盖棺定论的时候，我们就结束了在这个大考场的考试；我们的总成绩，我们一生所有的功过，我们在这个考场考得如何，也就到了出最终结果的时候。我想，如果我们的后人说：你考得不错！我想我们就无愧了。

五　生活点滴

1、玩伴

　　接到一个陌生号码打来的电话，开口就问：你猜我是谁？这样熟悉的声音，我从我的记忆中搜寻了一遍，然后用有些疑惑的声音问：你是花儿？她听罢就笑了：还行，一下就猜对了。

　　我一下子跟中了彩票一样开心，老朋友的这个电话，无疑是我好长时间来最快乐的一件事了，我哇地喊出了声音，竟然忘了自己是在工作时间在工作场合，以至于有一个同事专门跑到我办公室，问我遇到了什么高兴事。

　　我们是初二时的同学，这些年来我们时断时续地联系着，最近的一次见面可能是在 10 年前，后来就失去了联系。我们都陷在各自的生活中，在自己的圈子里生活着，使我都几乎忘却了还有这样一个好朋友曾经与我那么要好，形影不离。我们聊了很多，从各自的孩子、丈夫、工作、生活、爱好等等，聊到了我们小时候，那段令人难忘的青葱岁月。

花儿是留级到了我们班的，非常聪明，尤其是非常会玩，而我也是非常喜欢玩，于是我们"志同道合"就成为了最要好的朋友。但她玩归玩，学习很好，而我的学习成绩就有些差强人意，我把这一点归结为留级的好处。所以初二时我的理想就是留级。

那一年我们无论上学放学放星期放假都在一起，我们做的共同的事情就是玩，好像没有共同学习过。我们玩的花样繁多，最惊险刺激的莫过于逃学。刚开始是偷偷摸摸战战兢兢，偶尔为之，到后来我们已经无法克制逃学的欲望，除了语文和数学课安心坐在教室上课之外，别的课程几乎不上。因为语文老师是班主任，数学老师比较厉害，会打人的，打起来很疼。不过说是这两门课不逃，只是相对而言，我们玩起来就是一晌，时不时地也会误了这两门课。为此我没少挨老师的打，记得数学老师总打我的头，甚至有一次我因为逃学骑自行车从很长的一条坡上冲下时把脸和头磕破了都没有避免老师不打我头，老师捡我没受伤的地方打，我钻心的疼。

现在想来我们玩得很幼稚，广阔天地哪儿都是我们玩的场所。我们去刚竣工的剧院里摆起一摞砖头然后上面放一个木板，两人一边坐一个玩跷跷板，时常去，直到有一天被看工地的人撵走。我们去河里捞蝌蚪，满身湿透再晒干后赶上学生放学的时间回家吃饭。但也常会失算，因为那时我们没表，不知道时间，有时候就玩的忘了时间，回家时间就比放学时间晚了。有一次我们上午逃学回家时，同学们已经上了下午的课，自然少不了受到大人的盘问。我们还会无所事事在人群中转悠，遇上逢集的日子我们在人群中捉迷藏窜来窜去。我们还去山上玩，一次我们为摘酸枣，爬到半山坡时，松软的土地使得我们不进反退，一直往下出溜，下面就是河，我们吓坏了，以为自己会死在那儿，幸好我们共同依靠着爬了上去。我们还会骑着自行车不捏闸直接往下坡蹿，然后再推上去又蹿下来，有一次我没把握好，蹿到半路时自行车倒了，磕破了头、脸、膝盖……记得我们跑得很远，几乎玩遍了我们所在镇的方圆 10 里地左右。

后来我们两个人的父母都知道我们每天在逃学，除了指责我们外，我母亲与花儿的父亲在一个单位工作，他们还互相指责是对方的女儿带坏了自己的女儿，弄得他们两个人关系都有些不睦了。

父亲知道了我的留级目的后便警告我：没门！事实也就是这样，我留级未遂。倒不是因为父亲走了关系，而是因为我考得好而升了级。那时留级很容易，学校常让一些学习不好的同学留级。学校为了保证其中考升学率，我们升初三时，学校将四个班并为两个班，但当时只考语文和数学，我顺利升级了。初三我没有与她分在一个班，这样我逃学的历史便结束了。

后来，我竟然成为了好学生。好长一段时间，逃学这件事成为我不敢对人讲的丑事，但是我的那段经历印在我的同学们和老师们的脑子里，旧日好友在一起时，还是会被大家拿出来当做笑谈，令我惭愧不已。长大以后，我很高兴能有这样一段经历丰富我的人生，也很高兴能有这样一个好朋友与我一起度过那段快乐的时光。我们在玩中建立了牢不可破的友谊，那是纯真的千金难买的情谊，越长大越发现其珍贵，其难得。所以今天，当同学的电话打来时，我们竟然没有任何隔阂，一下子说了几十分钟的话，这几十分钟把隔开没见的这 10 年时间全部找了回来。

我的好朋友，找到你我是如此的兴奋，从此，我再不会弄丢你，直到最后时光。

2、沿途的风景

周五下午，我与几个朋友约定利用休息日出游一次，几乎就是心血来潮，我们改变了原先安排的行程，决定去安徽黄山一游。

商定之后，我们匆匆购买了中国交通图册，通过朋友预定了黄山的宾馆，联系好了黄山的导游，出发了。根据我们对黄山的初步了解，无非过了河南就是安徽，全程高速，驾车八九个小时就可到达。

每次出游，我都告诉自己，不要只顾低头匆匆赶路，而不顾欣赏沿途的风景。

出发时，夕阳在西山顶上探露出半个笑脸。说说笑笑中，透过车窗，看过了小麦正在泛黄，树木苍翠繁茂，河流曲折蜿蜒，车辆快而有序行驶。如画的风景从我们的车窗前一闪一闪而过，新的景观又一一闪现在我们的视野中，快乐和轻松洋溢在每个人的脸上，紧张的工作之余能有这样的闲情逸致，自然令大家开心不已。

黄昏时分，车辆驶过黄河大桥一路南去。渐渐地，天空像被罩上了一块黑色的幕布，远处华灯次第打开，高速路上的车辆越来越少，我们的车孤单地行进着，困意袭来，除了开车的司机外，大家都靠在车座上睡着了，有的人还打着轻微的鼾声。困倦和黑夜阻挡了我欣赏窗外风景的兴致，我也闭目休息。

车上的睡眠总是不踏实的，再加上有对接下来的行程的思考，我们时不时起来看看地图，研究路线。走一段路程之后，在服务区加油、喝水、上厕所、换司机，一切却也井然有序。

午夜，根据我们的预计应该就能进入安徽境内，可是我们依然在河南境内行驶，距离安徽省境尚有一些时段，与黄山导游联系，说是我们所在位置距离黄山还有 800 多公里，也就是按照我们的行驶速度，需要 8 个多小时的时间才可到达，我们这才意识到我们看轻了旅游黄山的难度。我心里有些急躁了，但发现大家都没有退意，我又想起了那句话：欣赏沿途的风景。是呀，既然出来了、决定了，就一直往前走吧。这样想妥之后，我的心情安定了下来，反而不操心了，任由车辆带着我们往目的地走，我竟然睡熟了。

5 点多，当我醒来的时候，车子刚刚驶过长江，车窗外的风景已经更换，房顶呈马头样的房屋一座一座闪过，杉树高高地耸立，田里少了金黄的麦子，多了即将黄熟的水稻，不知名的河流不断出现在眼前，车前的雨刮器一来一回试图把雨水撵走，却是送走一批又来一批，高速路收费站的女收费员娇娇俏俏，露出亲切的笑脸……我不由感叹道：昨晚过黄河，今晨到长江，一夜行千里，景致不一般。

9 点钟，我们吃过早饭开始雨中游黄山。刚下索道步行，导游就说，游览黄山总结起来就是：抬头看雾，低头看路，两边看树，陪着导游散步。游完之后我深以为然。是啊，雨中黄山就在一片云雾缭绕中，浓雾笼罩着山中的一切，人在雾中走，雾在人中游，头上戴的帽子能拧出水来，头发湿漉漉的，有汗水、有雨水、有雾水，远处的景观全在朦朦胧胧中，我们能欣赏到的只有眼前的景色，路过处，怪松、奇石、险境迭出，倒也别有一番美丽在其中。就像朋友所说，咱们雨中游过黄山了，不遗憾，哪天时间宽裕再晴日游一次，感受肯定不同。

第二天回返。回来的路途，有朋友指点了近路，剩下大多都是走过的熟路，我们以为定然会顺利好多，可一切却并没能遂人愿。在我们认为回家不用到了深更半夜，回去还可畅饮一番时，遇到了修路、堵车，一大排的车辆被堵在了高速路上，在等待中，天完全黑了。于是下高速，国道依然在堵，在当地村民的指点下，我们抄小路，在好长时间的找路和绕行中，车辆跟跟跄跄地行进着，猛然间随着一声轰隆声响，车辆轮胎被人为挖出的一道深壕折破了。前不着村后不着店，我们凭着手机的亮光，用了将近一个小时换下了备胎。接下来又是在漫长的摸索中寻找高速路口，汽车装上备胎总让我感觉是人嘴里装了一颗假牙，有一些不安定感。我有些悲凉地想：不会还有什么困难在等着我们吧？

还好，接下来的路程虽然依然艰难，好在我们一直向前，再没出什么事。很快走过艰难，在灯火通明处我们看见了高速路口，一路顺畅回家。

一路上，在我感觉距离遥远的时候，在我们经历困难的时候，我总想起朋友一句话，经历的一切事情"看似不经意，却在生活中"。所有经历的都是组成人生的一部分，想到这些，我就释然了。

我一路都在思考：其实，人生就是一场旅行。从出生那天起，我们就走入旅途中，这个旅途的终点就是生命终结点。这是一场遥远的旅行，却也是一场趣味横生的旅行。沿途有鲜花遍地、艳阳高照，也有杂草丛生、风雨雷电；我们有过一马平川的顺畅，也有过在崇山峻岭的艰难跋涉。这一路，有风和日丽，也有凄风冷雨；有美丽风光，也有险壑悬崖。但这些都是沿途的风景，都是人生的一部分。如果我们只是为了活着而活着，低头匆匆赶路，不欣赏沿途的风光，当我们走向人生旅途的终点——死亡的时候，我们将一无所获，枉走这一趟。

人生路上，谁会是永远顺利的？没有，也永远不会有！都是在一场场的经历中学会了适应，走向了成熟。无论遇到什么事，用一种乐观的、良好的心态去面对，相信下一个更美的景点在等着你，没有什么是过不去的坎。拒绝艰辛，就意味着拒绝过程，人生的精彩与否全在于旅途中的经历。当我们遇到困难的时候，我们坚信，一切都会过去。许多时候，虽然前途未卜，虽然行进缓慢，却也要相信我们是在一直向前走着。

所以，欣赏沿途的风景，无论幸福还是苦难，无论顺利还是受阻，都用一种坦然的心态接受吧。这些经历，即使苦难，也会成为日后咀嚼的食粮。就像这次黄山之行，一帆风顺的道路上我们欣赏和感受的是顺畅和痛快淋漓；雨游黄山，让我们看到了黄

富贵牡丹。牡丹的美是雍容之美、大气之美，她美得秀韵多姿、美得惊世骇俗，然而最美的还是她的骨气，不苟且、不让步、不俯就、不媚俗，令人敬仰。

山朦胧的美，给我们的想象添上了翅膀；看不到希望的道路上我们感受到的是朋友间的风雨同舟、齐心协力，同时，这种旅途中遭遇意外困难的经历也为我们积累了难得的出行经验。

还是这句话：不要只顾低头匆匆赶路，而不顾欣赏沿途的风景。

3、怕狗的故事

我非常怕狗，原因来自小时候的一件事。

我们邻居家有一条狗，跟我很熟，我天天不知去邻居家跑多少趟，狗都是非常友好。突然有一天，这条狗疯了，我刚进邻居家院子，它就咬住了我的手腕。据说那条狗就是疯了，那天还把邻居家一个男孩的屁股咬了一口，最后被大家乱棍打死了。

从此以后，我的心里就有了一个疙瘩，见狗就怕。

上初中时，跟一个同学去另一个同学家玩，刚一推门，一条大狗扑了出来，我反应迅速，没及跟我一起同去的同学反应过来，就一路惨叫着窜了出去，狗狂吠着紧追我后，我跑的这个速度快到什么程度呢，估计跟刘翔跑110米栏有一拼，因为那是土路，我是在跌跌撞撞地跳跃跑动，直到发现狗不再跟我了方才停止。那种危险降临的感觉袭击着我，多年来都不能忘掉，以致于我好多次都梦见狗在追我，我拼命地跑啊跑啊，就是拔不动腿。

事后，我就很奇怪地问我同学，为什么他站着没动狗不去咬他，我跑那么快，狗却在撵。同学说，见了狗不要跑，越跑狗就越要撵。

我明白了这个道理后，见了狗不再跑了，但并不是不怕狗了。

那年我买了一辆电动自行车，车的轱辘上有个装饰，车子跑起来那个装饰也一圈一圈地转，形成一个滚动的圆圈，花花绿绿很是好看。一天，我骑车走在路上，可能是我车子上的这个滚动的圆圈吸引了一条狗的注意，狗汪汪叫着跟了上来，我吓坏了，加快了骑车的速度。尽管知道遇见狗不能跑，但我想电动车跑得快，狗不会撵上的。果然，狗跟了一截后返了回去。我停下车子平息了狂乱的心跳才继续前行。回家后我把遇见狗的过程告诉丈夫，说是一条非常高大威猛的狗撵了我好一截路。第二天，我跟丈夫路过那个地方时，又看见了那条狗，指给丈夫看，丈夫看完就哈哈大笑：这就是你说的那条高大威猛的狗？我马上不好意思了：昨天明明看见是一条大狗的，怎么今天变这么小了？原来我说的那条"大狗"是一个尚未长成的土狗，由于害怕，竟然感觉那条狗象藏獒一样高大。

由于怕狗，我走在路上看见有狗过来，就远远避开，或者干脆站着不敢动弹。但有时候就是躲不过，有些狗不知是有意还是无意，总往人跟前走，每当这时，我都会大声叫嚷。一次我跟丈夫散步，一路碰见好多狗，我就想，我一定要躲远一点，不靠近它。偏偏怕什么来什么，一条狗慢悠悠地走过来凑在我的身上嗅。我感觉全身的汗毛都竖了起来，不敢挪动一步，不由自主发出一声凄厉的尖叫。那条围着我的狗转身就跑，周围走路的人也都停下来驻足观看，探究到底发生了什么事。我尴尬极了，朝着周围的人打了个招呼，表示没事。丈夫说：你好厉害，把狗都给叫跑了！

丈夫见我这么怕狗，就抓回一条小狗，希望我能在与狗的接触中，走出对狗的恐惧。我平时就喜欢小动物，我家养的狗是一条白色的京巴，非常漂亮，刚出满月就到了我家，小小的身子，亮亮的眼睛，更是异常惹人疼爱。我养了半年狗，给狗洗澡，亲它，抱着狗玩，没有一点恐惧。后来由于单元楼不适合养狗就把它送回婆婆家了。现在这个小狗见了我就往我跟前凑，亲近我，每次见了不抱抱它，它就会缠着不走。

但是，自己养了狗并不等于就不怕别人家的狗，我依然怕得要命。为此，丈夫常说，狗有领地意识，它不在自己的领地一般不咬人，不用怕的。我也安慰自己，没有什么可怕的，但总担心，假如这条狗是疯狗怎么办？因此，这份恐惧始终削减不了。去年夏天的一个晚上，我跟丈夫去河边散步，路上乘凉的、遛狗的人很多。后来遇见一群熟人在乘凉，就在我们停下来打招呼时，一条狗悄悄地凑到我近旁，我一个激灵，一声大叫后，够着丈夫的脖子双腿离地跳到丈夫身上，狗的主人赶忙把狗撵走，我才下来，人群中发出一阵哄笑。可能大家见过怕狗的，没见过我这么怕狗的。我汗！

没办法，这辈子是改不了怕狗的毛病了。

4、寻找春天

春天来了，乍暖还寒，甚至有些凛冽地寒，令人怀疑，春天是否真的来了，我一遍遍地问自己，一次次地找寻着春天的足迹。

我到了田野，到了乡村，到了城市，到了学校，我去到我目光可及，心灵可感的每一个角落寻找着。

你听，春天是有声音的，春天是解冻后的小河欢快的哗哗声，是河边洗衣妇女勤快的捣衣声，是第一次经历春天的婴儿惊奇的语言，是雨脚落上窗棂时的微响，是轻风柔声的呼唤，是门前小燕子的呢喃，是花儿次第绽放的低语，是都市人声鼎沸的喧哗，是校园里清晨的朗朗书声……

你看，春天是有形的，且不说春色满园，春花烂漫的美丽，还可见返青的麦苗装扮了原野，蒙蒙细雨滋润了万物，潇潇春风轻抚着大地，更有公园长凳上闲适的人们，校园里一张张充满朝气的脸庞，婴儿看见母亲时急切的表情，渐渐变得柔嫩的枝条，越来越早的到来的晨阳……这一切，都为春天添了一抹亮色。

你还能感觉到，春天是有灵魂的。春天有一双巧手，能使万物复苏，能在不知不觉中让树枝抽芽，能让小草破土，能让一切变为春色。风，把朦胧的雾气吹散；雨，把沉睡的大地惊醒。春天带给人们的是生机，是活力，是希望，这就是春天的灵魂。

我把目光从眼前延伸出去，在诗词的海洋中找到了春天。

当一场春雨到来的时候，我们会想到："好雨知时节，当春乃发生。随风潜入夜，润物细无声。""天街小雨润如酥，草色遥看近却无。最是一年春好处，绝胜烟柳满皇都。"

当花儿竞相开放的时候，我们会说："万树江边杏，新开一夜风。满园深浅色，照在绿波中。""等闲识得东风面，万紫千红总是春。"

形容春风，我们会用："不知细叶谁裁出，二月春风似剪刀。""东风好作阳和使，逢草逢花报发生。"

还有许许多多春天的吟咏在耳边回响，告诉我春天在什么地方，春天是什么。

是的，我明白，春天是欣欣向荣，是万物生长，是引人向上的力量，是催人奋进的鼓音……

所以，我们把许多有生命力的东西、美好的东西都比喻为"春"，比如，改革开放如一缕春风刮进人们的心田；沉浸在美好的环境中说是"如沐春风"；满脸喜气叫"春光满面"；形容什么事务蓬蓬勃勃发展叫做"春潮涌动"；垂危的病人或事物重新获得生机，叫"枯木逢春"……

是的，春天就在我们眼前，在我们心中。

5、过年琐记

吃饺子

根据本地传统，每年大年初一天不亮的第一顿饭就是饺子，而一定要在一个或者几个饺子里包上小面额的钢镚儿。小时候是包分币，现在包的是一角钱硬币。

对于过年为什么吃饺子已经被无数次的论证过，而对于饺子里包钢镚儿，我猜想是，以前人们穷，一分钱也珍贵，为了哄孩子们多吃饭，长身体，就把钱包进饺子里，谁若吃到有钱的饺子，钱就归谁。现在人们不再在乎这一角两角钱，而这习俗就这样延续下来了，家家户户过年饺子里包钱。

我家的年饺都是丈夫一个人包，他包的饺子好看，个头匀，把钱包进去后基本上看不出来在哪个里面有钱。

吃饺子是否能吃上钱实际上没有什么特殊意义，大家却都想吃到钱，认为这样会一年幸运，因此早晨吃饺子基本上都在"明争暗斗"，"吃着碗里的看着锅里的"，吃着自己的，筷子跑到别人碗里挑饺子吃，总之，总想包着钱的饺子是自己吃出来的。

尽管大人也有这样的心理，总归是矜持一些，假装不把这个事放到心上，心里却也在关注着谁到底能把包钱的饺子吃到。婆婆就很在乎吃到饺子后的仪式，她会嘴里说着有福啦、命好啦之类的话，然后郑重其事地把钱贡献到灶君爷的供桌前，由吃到钱的人点香、磕头。

孩子们的表现就外露些，急切些，不但要采取行动，加快往嘴里塞饺子的速度，嘴里更是念念叨叨，一副不吃出钱来誓不罢休的劲头。

我孩子已经16岁了还是这样。她迅速吃着自己碗里的饺子，眼睛盯着别人的脸部表情，时刻操心是否钱被别人吃走了，手里也不闲，时不时从别人碗里夹个饺子吃。我们吃饭都快，等到她吃完我们也吃完了。公公吃饭慢，一个人在客厅吃，女儿确信我们都没有吃到钱，钱就在公公吃剩下的几个饺子里时，跳出去到公公碗里夹饺子吃。不怎么一会儿，听到女儿嘴里发出兴奋的没有任何节奏的"呼呼呼—呼呼—呼呼呼呼—"欢呼声，我们明白她吃到钱了。

果不然，她几乎是蹦进卧室的，回来还是两个腿换来换去地跳：我吃上钱了！我吃上钱了！

我们也不由哈哈大笑，一家人沉浸在过年的欢乐中。

哈哈，给人带来乐趣并不难，一个饺子一个小钱就可，我们何乐而不为呢？

点旺火

在我们村，大年初一起床后做的第一件事就是点旺火。我不知道点旺火始于何时，因何原因，但我认为这里面包含了山民对大山和神秘自然界的敬畏。

对于这个山村，我是闯入者，说不上来什么道道，但特别感兴趣每年过年点的旺火（村民称"火弹子"）。

村民们腊月就早早准备下点火用的柏树枝（村民叫"柏毛子"），除夕晚上家家户户都将准备点火的柏树枝在院中堆成一座小山。初一凌晨，天尚未亮时就被点燃，绿青青的柏树枝用报纸就可以点燃。刹那间，红红的火苗冲破了黎明前的黑暗，熊熊燃烧起来，一股暖暖的气息传遍全身，火堆发出噼啦噼啦、哔哔啵啵的声音，空气里弥漫着天然的柏油香。

据说，烤了旺火的人一年日子红红火火、身体健健康康。于是家里的孩子们被早早唤起，穿上新衣服围着火堆前前后后转，将全身烤热、烤暖和，同时还要在火上烤几个花馍，贡献给门神，及让孩子们拿来吃，据说吃后一年不得病。大人们忙于初一的早餐，还要忙着敬天敬地敬鬼神，简单烤过之后就回家了，孩子们则不同，围着火笑笑闹闹，不时地放几个鞭炮，给山村静谧的早晨增添一些过年的气息。

因为敬献之类的事情我不懂，早饭婆婆与丈夫一手操持，再加上我对旺火的兴趣还大于孩子们，所以从点火开始我就一直围着火在转，看着火苗在攒动，听着燃烧的声音，闻着燃烧的气味，感受着温暖的氛围，拨弄着没有燃烧的树枝，没来由的感动着，同时心里在祈祷着我的亲人们一年平平安安，日子越过越红火。

随着公公婆婆的越来越老，我们在村里可过的年将会越来少，我们今年就在盘算着明年过年把他们接到城里呢，这样的氛围于我可能将不会很多了。

即使还会在村里过许多个年，但不知还能点多少次旺火，因为这样燃烧柏树枝难免不会对大自然造成破坏，再者，村里的人都往城里跑，而留守的人们越来越不重视一些传统的东西了。

所以，我想，这样点旺火的岁月估计会离我们的生活越来越远。

我庆幸，我有幸经历了点旺火的日子，我的孩子也在旺火的陪伴下度过了十多个年头，这将会是她今后过年时最美好的回忆。

6、在农村过年

已经连着十七八年了，我都是跟丈夫在村里过的年，这么说吧，我从嫁给他开始就一直跟着他在他的父母家过年，而我的孩子从出生起就一直在这个小小的山村里度过每一个春节。

我一开始是抗争，希望在他父母身体尚健康，我的孩子尚年幼，村里交通尚不便时，偶尔有上那么一年不回村里过年，但斗争总以失败告终，从未如愿。到现在我已经完全服从了，最重要的原因是他父母年老了，按孩子的话说，她爷爷奶奶过了这一年不知还有没有下一个年可过。

近20年的时间发生了很大的变化。

前些年，公婆住在一个山庄上，平常情况下，这个山庄只住着两家三口人，也就是除了公婆，还住着一个跟他们年龄相仿的老太太。

到这个山庄，将车停下后还要爬行约莫二三十分钟。我那时只要上了山，直到回城才会下山，我不习惯走那样的山路。过年没有雨雪还好说，若天气稍有变化就非常遭殃了。记得一年腊月，大雪纷纷扬扬下了几天，上山的路非常滑，丈夫背着大包小包年货，一个亲戚拉着孩子往山上送我们，我一个人艰难地往上爬行，手脚并用依然难以前行，往前走几步就往后滑，非常狼狈，最后还是邻居那个70多岁的老太太把我拉了一截，才最终上了山。丈夫笑话我还不如一个70多的老人。

在那条路上，我走了11年。到2003年，我们总算在村里面山庄下为老人修了房子，才避免了年年上山的困难处境。

我们年年回村里，交通工具也发生了很大变化，从刚开始的骑自行车、坐三轮车，到现在开上了汽车。村里的路也从原先的乡村土路到现在修成了水泥路，从县城到村里也就半个小时车程。

自从在山下修了房子，路也好了，交通工具也发达了之后，我们几乎每个星期都会回村里看老人，有时候天黑了吃了晚饭还会回来转上一圈，回一趟跟玩似的。

令我奇怪的是，只要过年回来，下一趟城很难，竟如相隔多远似的。丈夫认为，回来过年就是准备好足够年货，安心陪老人待着。从回村里过年那天开始，县城就成了我心向往之的地方。还有一种原因就是每逢过年几乎路上都不好走，就像今年，快过年了，飘飘忽忽下了一场大雪，路上滑得很，装上防滑链的车依然在打滑，所以再有本事我也不敢开车下城。

村里与县城的距离不远，生活却是隔着好大的档次，虽然衣食可以满足，但明显能够看得见的是贫穷、简陋的生活条件。吃水不便，我们村里几十口人在一口井里刮水吃，有劳力的人家用三轮车从河里拉水吃，我们则是买了十多个大塑料壶从县城拉水回来吃。上学不便，好大的一个村子，竟然只有一个小学校，刚上学的六七岁小孩就住了校，否则就得每天步行几十里山路。

每年过年，我们都会领着孩子们转转，去邻居家串门，到亲戚家吃饭，让她们充分感受自己生活的幸福与农民生活的艰辛，珍惜自己的幸福。她们见识过贫穷，她们享受过富足，我想每年过年给孩子们上的这一课应该令孩子们终身受益。

尽管村里条件是艰苦的，但年味在村里是最浓的，是那种最朴实的、最原始的没有任何功利和修饰的过年的味道。村民早早就准备上了过年用品，腊月十几就磨面、碾米，在逢集的日子下城购置物品，过了腊月二十之后，扫房子、磨豆腐、蒸馒头、炸油糕、杀鸡、宰羊、剁馅……家家忙得顾不上串门。加入到这个氛围中，就有一种年关将至的紧迫感，觉得不计划好，这些活还真干不完。

井。人常说：山有多高，水有多深。在婆婆居住的高高的小山庄寺岭之上的这眼井，曾经供十几户人家几十口人吃水，现在人已去，井尚存，情亦在。

再怎样准备，村里的年依然是简陋的，用丈夫的话说：过年是一年中最受屈的日子。平常日子都是过年，过年反而吃得不如平时。但丈夫的语气、表情并不是在抱怨，而是对于回归小时候过年滋味的一种满足。他快活地忙碌着，惬意地吃着他母亲做的饭，难得的轻松和好脾气。

我们过年在村里的饮食不如平时丰盛，但对于劳作一年的村民来说，过年的饭菜依然是一年中最好的，饲养的鸡下了一年蛋，过年才舍得放开吃一顿鸡蛋；养了许多鸡，过年才舍得杀掉吃上一只……

我们在享受我们的好日子的同时，真得想想还有许多的贫穷也在上演。

村里的年是静谧的，偶尔有稀稀拉拉的鞭炮响起；村里的年也是忙碌的，偶尔还有担着水桶的人去河里挑水，偶尔有骑着摩

温暖的家。这是村里人家的土窑洞，似曾相识的场景，何似当年丈夫成长生活的那孔窑洞。丈夫虽然早就搬离这样的地方，但这样的窑洞依然能带给他温暖的感受，忘不了土炕上兄弟姐妹的打闹，忘不了煤油灯下婆婆缝补衣裳的温馨，苦却快乐着。

托车去焦化厂上下班的人们……

还有三三两两穿着新衣去串门的人们，有些人家传出喝酒猜拳的声音。

过年了，村里洋溢着过年的轻松的气氛。

7、我们一起听流行歌

流行歌坛几天不注意就有一批新人在歌唱，流行歌曲几天没有听就会有许多新歌已经在传唱。

你看，你看，一张张年轻的面庞多么活力四射；你听，你听，一首首美妙的歌曲多么荡人心扉，让我们一起来欣赏流行歌。

我们也曾年轻过，我们也曾唱过属于我们年轻时代的流行歌。那些陪着我们成长的歌曲，已经镌刻在我们的心上，唱响这些歌曲都像是在翻阅我们年轻的历史，激起我们对年轻时代的回忆和留恋。

时代在进步，世界在变化，对这一切，我们常会由迷茫到清醒，在挣扎中困惑中改变着我们的生活，接受着时代的变迁。这一切表现在服饰上、语言上、处事方式上、生活习惯上……我们不由自主紧跟着流行的脚步向前。等到我们适应这一切改变之后，常常会由衷地赞叹一声：感谢这个时代！

而在流行歌曲上常听人议论：看我们那个时代的歌曲，曲调明快，吐字清晰，激人奋进，现在这些流行歌，哼哼唧唧的是些什么呀！

每每听到这些议论我都想反驳：一首歌的流行总有其道理，

用批评的眼光、挑剔的态度怎么能欣赏到其中的美呢？我们应该在接受这个时代带给我们物质极大丰富的同时，接受属于这个时代产物的精神层面的东西，其中就包括歌曲。

一个人，如果不能接受属于这个时代的歌曲，他就不能算是真正融进了这个时代，服饰再时髦，也是时代的落伍者。

如果你愿意耐心倾听，如果你能够静心欣赏，就会发现许多歌曲是那样的契合我们的心境，那样唱出了我们的心声。在周杰伦含混不清的演绎中，我们看到了激荡心声的民族风的内容；从周笔畅睿智的唱腔中我们看到了年轻人的内敛深沉淡定；superjunior 的演唱，无疑带给了我们一股清新的韩流；而今年的快乐女声们的表演，也因其充满活力而震撼着我们的心灵……这些歌曲，大都集合唯美的歌词，现代音乐技术和技巧的运用，大气的表演风格，各有各的美，我沉醉其中。

让我们试着接受这些歌曲，也许当你听懂了年轻的声音的时候，你的心里就灌注进了青春的活力、生活的动力，也许你会因这些歌曲由衷地赞叹一声：感谢这个时代！

让我们抛开成见，一起来听流行歌。

8、记性

"岁月不饶人"真不是一句空话，一过 40，我明显感觉记性很差。

最经典的记性差的事情是在做家务时，比如切好了菜需要剥蒜，我是急性子，几乎是急急忙忙冲到储存蒜的地方，但到跟前就发呆了：我过来干嘛呀？使劲想使劲想，往往都想不出来，结果是需要再返回原位才能想起：哦，我要拿蒜！还有把衣服往洗衣机里一放，然后去拿洗衣粉，走到洗衣粉跟前不知道是要拿什么，看见地下脏了，拿起笤帚就扫地，扫到洗衣机跟前才会想起：我明明是拿洗衣粉的，怎么扫上地了？有时候弄得自己都哑然失笑。

还有就是记不住人的名字，明明这个人的名字就在脑子里打转，就是叫不上来，有时候叫出来了，发现把这个人叫成另一个人了，弄得很尴尬，有时候当时还能发现，有时候需要好长时间才发现我张冠李戴了。记得一次跟丈夫一起散步时碰见一个我认识而我丈夫有可能不认识的人，于是我赶紧介绍给丈夫：这是刘队长。等我介绍完后，发现那人的表情一下子起了一些变化，当时我并没多想，等到离开那人，丈夫说：你介绍的不对吧？那不是李所长吗？我一下子明白那人为什么出现那样一种表情了，弄得我直想扇自己的耳光。

一次，在我与一些人聊天时又出现说错好几个名字的情况时，一个同事说：呵呵，你原来可不是这样的，近来你的记性就是差多了。

是啊，我原来可不是这样的，虽算不上多聪慧，但按丈夫的说法，我就是"背课文的机器"、他的"电话号码本"。上大学时，我学的是历史，学校别的系的好多人都认识我，开玩笑说我的同学们传言我把课本中的序言都背下来了。前些年，丈夫说，出门只要带上我就不需要带电话本了，他说一个名字，我随口就能说出这个人的手机号和家里电话号。这些辉煌已成往事随风而逝。

我常由此想起我妈妈。那时我常烦我妈的糊涂，烦她的颠三倒四，她安排事时常是这样说的：哎，你把那个什么给我拿过来。我高兴时，问问她拿什么，不高兴时就不理她，或者火气很大地问她：拿什么呀？不说清！那时候，我妈常如我现在一样，走到跟前就忘了要拿什么，因为这个常遭到我跟我爸的打击和取笑。

时间滚滚向前，我也到了那个时候我妈的年龄，我也毫无例外地出现了这些问题，直到这时我才深深地理解了妈妈，我也才明白了，那时候，我们一家大大小小都过着衣来伸手、饭来张口的生活，妈妈的辛劳可想而知，年龄大是一方面，事情多、杂是更重要的一个原因。那时，我真应该多帮帮妈妈的。于是，我也呼吁一下做子女的，理解你们的父母吧，人都会有老的那一天。

我现在的记性差，是自然规律，也与事情繁杂和压力大有很大关系，人到中年，事业处于人生最鼎盛时期，家庭也需要处处操心。所以，我们不但要做好手头的事情，还有关心我们自己的健康，放松身心，善待自己，尽量让自己活得闲适些，我想这样我们的记性就不至于再大幅度地衰落下去。

人生就是这样一个过程，快快乐乐、平平淡淡地接受吧。

9、想起同学老乔

许多人许多事都尘封于记忆的深处，会随着岁月而永远流失，但某些人某些事却会在你不经意的时刻，抖落岁月的风尘，在你的记忆中挺立。

在这个夏夜，我就因为女儿的一句"校花"，让我想起了同学老乔，因为我们那时就给老乔起外号叫"校花"。

我跟老乔是20年前的同学，因为是成人班，所以学生的年龄参差不起，老乔是班上年纪最大的，那时好像40出头，而我是年龄最小的，20出头。说实话，我都记不得老乔叫什么名字了，因为他年龄长于我们，我们都叫他老乔。我们是成人全脱产班，那时，整个大学校园内就我们这一个成人本科班和另一个成人专科班，人数都很少，我们班只有16个人。我跟大学生们年龄还相当，而我的同学们走在学生群中就比较引人注意了，而最引人注意的当数老乔。尤其是在食堂吃饭时候，回头率100%。就是在一次吃饭时，班上一个很有才的同学给老乔起了"校花"这个名字。这个名字竟被传开了，而老乔也乐呵呵地表示接受。

　　老乔是一个很有特色的人。我第一次看见他时，他正打扫男生宿舍，当时我以为他是校工，是专门打扫宿舍卫生的，直到上课时老师宣布老乔是班长时，我才为我当时的想法哑然失笑。老乔个头不高，微胖，谢顶，远看是光头，从近处看，可以看见头上几许稀疏的白发，脸庞永远是红红润润的。在我的记忆中，老乔见到人总是绽开着灿烂的笑脸，好像从没有什么烦忧。

　　老乔确实是时常开心的，挺大的年龄却能与大家打成一片，我们都与他开着没大没小的玩笑，他一点都不气恼。记得老乔喜欢戴帽子，以遮挡其毛发贫瘠的头颅，我偏偏仗着自己年龄小，大家都让着我，喜欢与老乔的头开玩笑，常常趁他不注意拿掉他的帽子，然后摸一摸，引得大家开心地笑。老乔拿我没办法，总是笑着骂一句：死女子，太淘气了，把帽子给我！

　　老乔上课喜欢睡觉，实在瞌睡得不行就逃课回宿舍睡觉了。按老乔的话说，他是因为晚上睡不着所以白天会瞌睡。而同宿舍的男同学则认为，老乔是因为白天睡觉了所以晚上不睡，因为老乔晚上总是不睡使得大家也睡不好，多次遭到男同学的严正抗议。解决这个问题比较难，就像要解决先有蛋还是先有鸡这个问题一样难，相当长的时间里我们班把它作为一个主题进行研究，但直到毕业，也没得到一个标准答案。

那个时候，我以为这样的日子是永远的，没有尽头的，也是漫长的，所以天天盼着毕业，盼着离开"该死的学校"，走上工作岗位。现在想来，还是那时候活得很自在。作为班上年龄最小的学生，总是受到老乔及大家的关照，那日子过得恣意妄为，好像没有烦恼。我能想起在我感到受欺负时，那个拍着胸脯说"如果谁欺负你你就告诉他我是管军事的"那个大高个同学；我能想起教我下围棋的那个儒雅的同学；我能想起那个与我一块堆雪人的天真的同学；我能想起那个教会我抹眼影的优雅的同学；还能想起那个长得特像白岩松的看起来很有学问的同学，以致于白岩松刚出道时我认为那就是我的同学……

一切还历历在目，却已过去 20 年了。由此我就想要珍惜每个过往的日子，无论得意失意，过去了总是让人怀念的，因为相对于现在来说，那过去的日子都是比现在年轻的日子。现在进行时很快就会成为过去时，没有永远。就像我们还可以与这么多的同事有缘一起工作，还可以与这么多的朋友一起谈天论地，不用多少年一切就会变化，朋友会有离离合合，同事也会有退休的有新来的，自己有一天也会离开这个岗位。

真的，多难得的缘分，真不想自己在离开工作岗位的时候，感叹：唉！那时不该如何如何，那时应该如何如何，争的那些真没有意思……

10、我最喜欢的颜色

如果你问我，你最喜欢的颜色是什么，我说，红颜色！

是的，红色！从小到大。

其实，长大后好长时间来我弄不清这个问题。

小时候我是弄得清的，我妈认为，女孩子穿衣服就应该穿红红绿绿的。所以，我小时候的衣服基本以红色为主，搭配各种鲜艳的花色，我的女同学们的衣服大致都是如此。看见红颜色觉得喜兴，而我那时最讨厌的颜色就是古铜色，昏昏暗暗的，看见就不舒服。

直到有一天，在我上大学之后，我依然穿着粉红色的衣服，一个同学就笑话我穿衣服太"山"气，挺大人了穿红红绿绿的衣服。我才抬眼观看，周围的女同学们大都穿着比较深沉的颜色，一下子我为我的"山"气感到了害羞。从此以后，我再不敢穿鲜艳的红色衣服了，并且从心里告诉自己，我不喜欢红色，红色是最没有品味的颜色。

渐渐地，我就不知道我喜欢什么颜色了。记得以前有过一个心理测试，根据喜欢的颜色测性格，我思考半天之后竟然不知道我喜欢什么颜色，甚至还徘徊过我是否该喜欢古铜色。

这是一个渐渐变化的过程，由对红颜色衣服不能释怀，强迫自己不去喜欢，到后来真的不再看红颜色衣服，真的感到穿的红红绿绿没有品味，而觉得应取适合自己的颜色来穿。到现在，我的衣服很多，红颜色的衣服几乎没有，多是以黑色为主。其实期间我试过红颜色的衣服，发现自己也并不适合穿红颜色衣服。

但是，我的红色情结并没有消失。有同事问我，怎么我多年来换的几款手机基本上都是一样的，都是鲜红的颜色？我语塞，半天没有承认自己喜欢红颜色，因为内心里真不知道是因为什么。后来，我看见别人黑色的羊绒大衣搭一条大红的围巾，漂亮极了，自己没有勇气去买。再后来买车，在六种颜色的车之间逗留之后，竟然选了一款大红色，朋友惊呼：你怎么买了这么艳的车！

这一系列事件促使我认真地想了关于我喜欢什么颜色这个问题，最后我不得不承认，我的骨子里是喜欢红颜色的，无论别人如何看，无论自己如何努力，这种喜欢都没有改变。

在有了足够的阅历和自信之后，我终于敢于承认：我喜欢红颜色！

这是一个过程，从无惧无畏，不在乎别人如何评价自己，到渐渐地失去自信，按别人的评价标准改变自己，要求自己，到后来不知道自己到底该如何，再到现在回归本真，活回自己。这其实不是不在乎别人的评价了，而是自己有了自己的是非评价标准，明白了什么是自己需要的，什么是适合自己的，不同于年少时的懵懂无知的无畏。

人只有在经历许多之后才会明白自己，才敢于不管本来的自己是好还是不好而坦露自己。

11、做快乐的愚人

对于今天的愚人节，说远一点我在去年愚人节时就想着今年一定要做一件事让大家受骗但又很快乐，说近一点是提前几天就开始思谋愚弄人的方法，总之，我很是用心地期待着这一天的到来。因此，当这一天到来的时候，我有些激动，有些快乐。

清晨还没起床，我就发短信若干，希望愚弄一两个人，博大家开心一笑。饭后，我早早上了班，在单位一楼的厕所门口贴上提前打印好的"厕所坏，请上二楼"，在二楼的厕所门口贴上"厕所坏，请上三楼"，在三楼的厕所贴上"厕所坏，请上四楼"。哈哈，我接下来耐心地做旁观者，想像着大家着急地上楼找厕所的情境，一个人都哈哈大笑了。

尽管我有事没有能够看到是否有人受骗，尽管我发出去的愚人信息没有愚弄了人，我还是非常开心。到最后发现，真正的愚人是自己，因为我度过了快乐的一天，这一天是愚人的节日呀，整个一天都沉浸在自己为自己制造的快乐之中，我在自己的节日中狂欢。

其实，我以前很介意别人把自己当傻瓜的，也生怕自己做出什么事来让大家认为我是傻瓜，于是，总能做一些自作聪明的事情，制造"此地无银三百两"的笑话。我常幻想我什么时候可以变得精明起来，也常总结经验教训，结果发现，精明是学不来的，是什么样就是什么样。我苦恼呀，恨自己笨。

随着年龄的增长，一些东西竟然想开了，既然学不来那些精明的本事，那就做本色的自己吧。这同时，我也发现了做愚人的许多好处：人缘好，大家对我没有戒心，知道我再怎么做也还是变不出什么花样来；因为糊涂，总能赢得大家同情，使得大家产生帮我一把的念头；总有人说我笨，让我恍如自己还处于稚童时期，有受到宠爱的温馨感。因此，我也乐得做个笨人傻人愚人了。

做愚人好呀，太精明了容易算计得失，容易与人争利。而做

生活点滴

157

一个愚人就不用那么费神，对于别人的算计，宽以待之，宽容之心长存就会快乐。对于别人的愚弄，一笑置之，笑容在脸可以化解怨仇。

我就做一个快乐的愚人，做一个笨笨的人。

12、一声叹息

我家楼下有一片空旷地，这片空旷地竟然时不时成了搭灵棚的地方。

昨天楼下又搭了一个灵棚，死者是个40多岁的女人，得癌症后一年半左右的时间死亡。

我跟她一家都挺熟悉的，对于这个女人的得病，我们感到非常突然、痛心，孩子刚刚考上大学就病了，那么健壮的一个人，说倒就轰然倒下了。对于这个女人的死亡，无论是她的家人还是朋友，心里都是有充分准备的。甚至因为她能活这么长时间，大家都在感叹生命的顽强。

因此，对于她的死亡，虽然痛心，却都感觉卸下了一副重担，从得病到死亡，她及她的家人都活得很累。

明天她就要下葬了，根据风俗，今天下午娱乐班就在她的灵前奏乐演唱。

娱乐班的女歌手唱了一首《粉红色的回忆》：夏天夏天悄悄过去。留下小秘密，压心底，压心底，不能忘记你……

听着这首歌，我不由一阵心酸，思绪万千。

他们走过20余年的婚姻历程，有多少的回忆留在心底呀。

每个家庭，每一桩婚姻，都有许多值得回忆的东西，恋爱的甜蜜，婚姻生活的美好，共同经历的风风雨雨……一路上收藏着点点滴滴的欢笑，等到以后坐着摇椅慢慢聊。但有些人却是永远不能了。

对于死者，有对尘世的留恋，但随着生命的结束，一切都结束了。对于活者，这一切都像一幅幅画，永久留在了心底深处，碰触一下就是钻心的痛。

我想是的。我的印象中，他们夫妻关系很好。好像就是这个女人得病的前一两年，他们搬新家后，我们几个人去他家暖房，席间，他们互相调侃"娶妻娶妻，做饭洗衣"，"嫁汉嫁汉，穿衣吃饭"，这些话犹在眼前，而转眼阴阳相隔了。

唉！只有一声叹息……

叹息过后，生活仍在继续……

13、疯狂的摩托车

黄昏，我站在街道的这一边，准备过到街道的那一边，几次尝试都退了回来，路上车辆不是很多，却都以无视人们存在的速度前行。好容易看见一个间隙，只有一辆摩托车在距离我大约100米的地方行驶，还有几辆三轮车不急不慢地行驶，我匆匆走过这条四车道的街道，好险！我刚刚过来，摩托车擦着我的身子疾驶而过。在我暗自庆幸时，摩托车上的人朝着我骂了一句：妈那个×！然后随着哒哒哒急速的马达声消失不见了。我左顾右盼之后，确信那辆车上的人是在骂我。我脑子里马上出现一连串疑问：我错了吗？是啊，我规规矩矩按着交通规则过马路没错呀，反而是那辆摩托车以最少 60 迈的速度在人来人往的街道上奔驰，威胁着人们的安全。

可是，我们都已经习惯了摩托车的这种速度，都没有指责的想法了，只有远远地躲避。就像刚才，我只能庆幸我没有被撞倒，除此再无想法。

而实实在在的事实是，摩托车已经成为肇事率极高的交通工具。就我刚才经过的这条街道，每年都会发生几起摩托车撞人事故，几次发生撞死人的严重事故。

2009 年元旦，天蒙蒙亮，异常寒冷，吹一口气眼前就是一片白雾。一个在焦化厂打工的年轻人上完夜班骑摩托车回家，也许是天气太冷，也许是年轻气盛，这辆摩托车以无比快的节奏和响亮的声音划破了小城黎明的寂静，几声狗吠响起。整个大街上只有这一辆摩托车在行驶，就在这个年轻人沉浸在快速行驶的快感中时，一个行人揣着手哈着白气横穿马路。坏了！一个声音从年轻人心中响起，但是他已控制不住这辆疯狂的摩托车，就这样，整个街道上，只有这一辆摩托车和一个行人，相撞了。摩托车倒地了，一些塑料碎片散落一地，行人也倒地了。年轻人爬起来看见一股鲜血从行人的脑袋倒地部位无声流了出来，他吓坏了，扶起摩托车以更加快的速度逃走了。清晨，喜庆的人们走出家门购买过节用品时，首先看到了那个已经僵硬了的人，身上流出的血结成了厚厚的冰……

2008 年夏天的一个午后，一个搞装潢的年轻人急于进城购买一些装潢材料，以七八十迈的速度疾驶，身后尘土飞扬，街上行走的人们躲之唯恐不及，纷纷感叹：这些年轻人真疯狂，不定什么时候就出事了。就在摩托车快驶到一个路口时，前面一个骑自行车的老人猛然往左拐，因为拐过去那个胡同就是他的家。摩托车太快了，在反应过来老人转弯之后，随着一声尖锐的急刹车声，摩托车还是无比准确地撞向了老人，老人当场倒地死亡……

2007年冬天的傍晚，正是小摊小贩收工、学生放学、工作人员下班的时间，虽是隆冬，街上还是非常热闹。就在这条街最繁华的地段，一个从工厂下班的工人并没有因为人多车多而减慢骑摩托车的速度，正从北面而来，另一个骑摩托车的人也不示弱，虽是踏板摩托车也在人群车群中快速穿梭。我时常感叹，为什么两辆车的相撞会那么准，故意撞都不一定有那么高的准确率，而事实就是这样，这两辆疯狂的摩托车在人群中相撞了，两辆摩托车同时倒地，顿时血流如注，一死一伤。那摊血在那个冬天异常显眼，下了几场雪都没有抹去血的痕迹，直到很久以后。

……

不只是在这条街上，在别的地方也是摩托车事故频发，我们时常耳闻摩托车撞在停驶的汽车上的事故，摩托车撞在树上的事故，摩托车互相碰撞的事故，摩托车撞行人和三轮车的事故……一个个风华正茂的年轻人因为疯狂驾驶摩托车而失去了生命或者身陷囹圄。

我想大家都见过公路上摩托车骑行在超车道上，试图与汽车誓比快的场面，大家也见过许多年轻人勾肩搭背骑着摩托车行驶的镜头，大家肯定也见过骑摩托车大撒把而依然速度不减的"雄风"，或者还看见过更惊险刺激的情景。每次看见这些"飞得太低"的摩托车带着风带着尘带着呼啸声从我身旁驶过，我都会失控般张着嘴直到摩托车从我视线中消失。

最近我们收到一个案子，是一个三四年前的交通肇事致一人死亡的案子。之所以到现在才起诉，是因为在这起事故中，负全部责任的被告人也受伤了。他骑的摩托车速度太快，在撞倒被害人的同时自己也倒地了，头部受到严重挫伤昏迷，做开颅手术抢救后才得以生还。昔日活蹦乱跳的年轻人面目全非，身体造成残疾，脑子受到伤害，勉强可以自理自己的生活。而由于这起事故造成被害人死亡，留下孤儿寡母艰难度日，其家属不仅仅是承受失去亲人的悲恸，更得承受生活的重压，于是提出了几十万元的赔偿请求，这对于被告人来说是天文数字。

就是这样，遇到事故，肇事者除了要受到刑事处罚，还需要承受巨额的赔偿，有的倾举家之力可能终生难以偿还；而受害者，鲜活的生命就消失了，有的是尚未尝到生活美好的小孩，有的是新婚燕尔的夫妇，有的是家里的顶梁柱，有的是家人付出心血和心存寄托的学生……留给亲人的悲恸终生难以抹去，留给众人的是深深的惋惜。那是多少金钱也换不回的损失，何况面对贫穷的肇事人，可能是人财两空，家庭面临困境。

这些疯狂的摩托车呀，何时能够收敛一些，放慢你的速度？何时能够增强一些安全意识，减少事故发生率？

14、偶尔的放纵

前段时间回村里看望婆婆，婆婆说，一下午家里有几个串门的，坐着不走，急死了，耽误了多少活。我跟丈夫都笑了，一是对婆婆已经70多岁还那么珍惜时间感到有意思，二也是表示对婆婆的理解。

是的，我能理解婆婆的心情，这样的感叹我也常有。我每天的生活几乎像公式一样，该干什么的时间就是干什么，稍一打乱就有好多活干不出来，干着急，所以我很少出去应酬。

就说每天下午下班后的时间吧，下班顺路买回家里缺少的东西，比如菜、日用品等，然后回家烧开水、洗衣服、收拾家，打开电脑收菜、偶尔聊聊天，有感想时再写点东西，甚至不吃晚饭，睡觉也会到 11 点多。

因此，当我在外应酬吃饭的时候，时间短点还好，时间一长我就会坐立不安，我会想着我还有几件衣服没有洗出来熨出来怎么办，稍懒上一天就会赶不上丈夫每天换衬衣；我会想着丈夫回到家里喝不上滚烫的开水怎么办，他喜欢喝才烧出来的水；我会想着我还有一些感想没有写出来，回家干完活再写，丈夫不满，自己也要熬夜睡不好……等等，就影响了我的兴致。

丈夫也习惯了回家后见到我坐在家里或上网或干家务，习惯进门后我捧上一杯热茶，送去一声问候，或者借着酒劲欺负我一下。当偶尔我有应酬回家晚，他就会打电话寻找，有时候就不高兴了，或吊着脸或讽刺几句，我也觉得理亏。

大多数日子里，我自得其乐地这样按程式生活着，很享受这种孤单的感觉，没人打扰，静静地干自己喜欢的事情，充实而快乐。但是，有些时候我很孤独，甚至寂寞，做再喜欢的事情都无法填补我心里空荡荡的感觉，很想与人说话、与人诉说，哪怕出去散步也好，但却没有一个人可以相伴。丈夫很忙，早出晚归，回来就很累了，也顾不上顾及我的心情。这时候就很羡慕同事同学朋友一群一伙地出去吃饭玩耍。

所以，偶尔，当有不得不有的应酬之事到来时，我就努力去享受这种过程，与大家喝酒到醉眼朦胧，与大家说笑到脸颊发麻，让那些家务事，让那些回家晚了不安的感觉一边去吧。我想偶尔也应该放纵自己一次，不让自己活得太压抑。

但是，只能是偶尔，每个人都有自己的生活轨迹，每个人都有自己的生活习惯，完全打破并不好，人应有自己的个性。我常想，每个人，哪怕再柔软，都有一个坚硬的内核，那是打不破的，只会随着年龄的增长越来越坚硬，那就是人的本性，也是做人的原则和底线。每个人只有固守着这个东西才是真正的自己。

六　杂七杂八

1、说底气

　　一贯地，我认为"底气"是个褒义词，是心中有底，是自信。但我现在越来越没办法分辨"底气"这个词是褒义词还是贬义词。

　　比如遇到交警查车这件事，人有没有底气表现很是不同。有时一个领导的车被查了，不用领导出面，领导司机立马劈头盖脸对交警就是一番训斥。这种阵势，再看看领导的车型车号，估计交警都后悔自己没长眼，立马就放走了车，哪儿还敢说查呀？若还敢有还嘴的，也许上司的电话就很快到了小警察的跟前，放不放由得了你个小卒？若不从命，开了你！所以大小警察都长了慧眼，一眼就能看出什么类型的车不可以挡，什么车号的车不能拦。如果你看到有人跟在交警后面点头哈腰，又是赔笑又是递烟，而交警很牛地绷着脸，抬头挺胸，看也不看屁股后面的那个人，那么一定是一个平民百姓的车被交警扣了，这个小老百姓没有权，没有关系，也就没有底气，唯只有低声下气求人放过一马。所以我认为当官的人有底气。

当官的人掌握着话语权，说话做事当然底气十足。古代皇上的任何决定任何话语都会被臣子高呼：圣上英明！虽然现在人们比较含蓄，不至于对领导那么高呼英明了，但绝不会吝惜对领导的赞赏，写个字会说"真是好字"，讲段话会说"讲得太好了"，做出决策会有人跟在后面说"这样决定太对了"……总之领导的什么都是好的，什么都有人捧着。于是有些领导也就弄不清自己到底做得对不对好不好了，大会小会，大场合小场合都是底气十足，颐指气使，容不得不同意见，见不得唱反调的人。

不只是领导，有些领导的子女也有底气。前段时间不是李刚的儿子撞了人后敢喊"我爸是李刚吗"？老百姓的儿子你有底气喊你爸是谁吗，况且重要的是，你那个农民爹工人妈没有权呀，你喊出来没人当回事的，可能会遭到拳脚相加，不得好活。20年前我去看一个亲戚，我们亲戚算是一方"诸侯"。这个亲戚的儿子跟我吹嘘，说是如果他在街上随便抓住一个人打一巴掌，然后说他是某某人的儿子，肯定没人敢还手。听听，人家底气多足！

还有一个词是"财大气粗"。财大当然是指有钱，气粗那就是底气足。其实我时常想不通，人有钱为什么就能有底气，你有钱是你的，大家不稀罕。但现实中确实是有钱人说出话来就硬气，做出事来就霸气，而许多人见了有钱人也会多一份恭敬。比如进大商场高档宾馆高级酒店，有钱人进出如入无人之境，你敢轻视看看，老子有的是钱，亮出来吓死你！而没钱者，从这些地方门口经过都揣着小心，这些地方的一顿饭有可能比寻常人家一家人一年的菜钱都多，底气在哪里？

所以，有钱的人有底气。前些时候网上一直盛传宝马男、宝马女的事情。这些人敢于开着宝马车撞人、打人，视他人如草芥，打了你、撞了你我有钱赔，没什么了不起！这就是人家的底气。是呀，财大的人容易觉得自己了不得，身上因为有几个钱而自命不凡的优越感往往会恶性膨胀起来，尤其是他们对那些身处社会底层的打工者，动辄粗声吼叫，厉声喝斥，直至把人"吓傻"！一个私营企业老板的儿子，敢于指着与他父亲共同创业的老工人的鼻子，叫着大自己几十岁的老工人的名字训斥，完全不懂得尊重是什么。他的底气来源于哪里？因为有钱，因为这些工人要靠着他们的企业生活。

因此，许多人都认为，一个人的底气靠知识、靠人品、靠能力等获得真有些OUT了，有时候，你拥有这些，只有孤芳自赏的份儿，你没权没钱没人用，空有这些有什么用？

但是，作为我个人，还是觉得权利和金钱都是身外之物，随着这些的失去，底气也将随之消失。如果当官的在位时不为百姓谋利益，离开岗位简直不如一介平民。我就见过有一个领导，在位时前呼后拥巴结逢迎者众，对他的一些错误做法人们敢怒不敢言，自从他退休后落魄如丧家之犬，曾经的司机见了他都敢小看、取笑他。有钱之人为富不仁，使得众叛亲离最后家财丧尽穷困潦倒的故事自古至今都未曾绝迹。所以无论是钱还是权都是空中楼阁，在此基础上建立起来的底气是无本之木。

真正地，人自身还得有些硬气的东西支撑，这些东西，就是知识、才学、人品、能力，这才是真正的底气。有知识的人是不可战胜的，他有深厚的理论素养，有丰富的成熟的思辩能力。遇事不慌，沉着应付，能机智灵活充满智慧去应对万事万物。一个人品德高尚，有良好的道德修养，正正派派做人，清清白白做事，才能底气充盈。我们现实中有许许多多的人，并没有一官半职，也没有许多的金钱，但却活得坦坦荡荡，活得舒展，活得无所畏惧，活得受人尊重，活得有底气。

心有浩然之气，底气自从心生。

2、欲望

林则徐的一幅对联说道："海纳百川，有容乃大；壁立千仞，无欲则刚。"这些话，我可能念了无数次，稔熟于心，真正理解它却是在有了一定的人生历练，感受了人事沧桑之后。

当然，无欲只是一种理想状态。欲望是人的一种生理本能，人人会有，伴随终生。但是，凡事总要有个尺度，欲望靠人控制。欲望多了、大了，就要生贪心；欲望过多过大，必然欲壑难填。

鲁迅先生说：作为一个人，"一要生存，二要温饱，三要发展"。这句话概括了所有人类正常的欲望，对于这些欲望我们要尽量满足。而另一种欲望是"贪得无厌"，是一种无节制的私欲，是非正常状态的欲望，是应该摈弃的。林则徐的"无欲则刚"的"欲"就是指的这种情况。人只有克服、控制了这种欲望才可以"刚"，才可以不为外物所左右。

非正常的欲望一旦膨胀，人就会自私、萎缩、丧失原则、失去立场。我觉得这种欲望能使人变得卑微，在利益和权势面前变得一文不值。

我们常能看到这样的人，在对自己有用的人面前唯唯诺诺，点头哈腰，如面圣一般虔诚，奴颜媚骨；而对于自己无用的人或自己的下级，就颐指气使，态度蛮横。这些人犹如旧时官宅的看门人。欲望越大，这种症状越是明显。这类人翻脸不认人，一旦发现自己巴结逢迎的人没有了用处，马上就会换上另一副嘴脸，而以前冷眼相对的人一旦成为对自己有用的人，很快又能转换过来，以一副媚态相迎，放弃尊严。

我们还能看到这样的人，手中的权力是有弹性的，在利益面前，所有的原则都成了虚设，甚至创设条件来满足自己的需求。这时候的制度、规章、法律是柔的，是可以随意捏的。而对无关自己利益的事和人，各项制度会陡然"健全"起来，没有任何通融。这时候的制度、规章、法律是刚的，是没有人情味的。由于这种把公权当成一己私物、可以为所欲为的行为，导致社会风气败坏。因此，老百姓办什么事都是难上加难，遇事不管多么合理与正当，他们首先想到的是找关系走后门。

我们小时候常常听大人讲那些富人贪婪的故事，比如口袋里装金子，因为贪婪，就一直装一直装，直到口袋破裂，金子不能运走，或者直到累死，等等，反正最后的结果总是贪婪的人没有好结局。而现实生活中也是如此，贪欲过多，总会为大家所不齿，或者因贪欲无尽总陷入痛苦中，甚至受到行政处分或刑事追究。

我挺同情欲望过多之人。这些沉甸甸的欲望压迫着他们，折磨着他们，心态失衡，总是"不得开心颜"。说实话，如果能觉悟到自己贪念过多的人还好点，或许还会做一些调整，关键是许多人欲望无止尽，自己都浑然不觉，结果总是觉得自己付出与所得不相符，抱怨世界不公平，怨天尤人，自己痛苦都找不到根源所在，只会永远陷入痛苦中。

实际上，人呀，不可能什么好事都是自己的，该自己所得的，勇敢追求；不该自己所得的，该放弃就放弃。为了一些生不带来死不带去的身外之物而陷于痛苦，如小丑般放弃自尊，不值！

3、"关系"社会

无论我多么排斥这种说法，我都不得不承认，这是一个关系社会，有关系好办事。

前段时间与一个年轻人聊天，她感叹，现在办事很难，明明是很合理的事情办起来都很困难。她当时举了一个在某单位办事遇到漠视的例子。我当时说，不对呀，这个单位的人都很好的，我每次去人家都热情接待。这个年轻人说，凭你们在这个地方的地位，谁敢不给你们面子呀，办事当然顺利！当时我就觉得她说的有一定道理，但是没再做进一步的探究。

但是，最近的一件事情让我又把那个年轻人的话放在心里重新思考。

一次，我与一个年轻人一起出去办事，突然想起有一个东西需要去取，但没有带收费单据。我自恃与工作人员相熟，便提出把东西取走，工作人员很爽快地取出给了我。这个年轻人见我办成了，便也提出把他的取走，但是工作人员很公事公办地说：把收费单据拿来才能取。

在这件事上，工作人员对这个年轻人说的话完全没错，做事就需要一定程序，就需要按规矩办事。关键的问题是同样的事情却是不同的待遇。我看出了年轻人的尴尬，他说，那就随后再来取吧。在这种场合，在我本身就是不合规矩取物的情况下，我没好意思说出我跟年轻人是一起的，也没好意思替年轻人求情。但我想这件事在这个年轻人心中会留下阴影，会或多或少产生负面作用。

难怪现在的人，尤其是年轻人动不动就要找关系，非常信奉关系的威力，认为能力、工作都不重要，只有关系是解决一切问题的万能钥匙。将要提拔干部了，大家就开始托关系走后门，因为你不找别人会找，一旦别人找了不就挤了自己吗？由于各种关系一定程度上真的起了作用，大家就更加坚信关系的力量，下次调整依然争相找关系；到医院看病了，找关系，有关系可以不需要排队挂号，还可以找到最好的医生；车辆被扣了，赶紧找关系，车辆能很快出来不说，一些扣分啦、罚款啦等等的麻烦都可以免除；到法院打官司了，也是找一些七大姑八大姨的说情，总希望自己的诉求得到支持，不但要求合理范围内的，还希望法院能够支持一些不合理的请求。总之，在各个领域，只要有权力存在的地方，就有说情找关系的事情发生。有些时候即使是正常的业务，完全不必找关系，人们都不放心，生怕遇到刁难，总想托个关系。

其实有些人就是利用手中的权力为需要办事的人设了许多关卡，让人感觉办事真难。前些年，我就亲身经历过一件事。记得我去一个单位办事，就是出个证明盖个章，完全合理合法，结果我跑了好多趟都没有办出来，这次说章不在，那次又说盖章的人不在，下次又是审批的领导不在，或者有时候你推他、他推你，让我始终没弄明白到底谁说了算，到底该怎么办合适。于是不得已，我找了一个跟这个单位领导很熟的人，我坐着没动就给送上门了。

一个年轻人说，他对考公务员已经完全没有信心了，即使笔

杂七杂八

试过关，面试也过不了，因为没有关系。对此我仍然是持怀疑态度的，我不相信真的世风日下至此，总要有能够工作的人吧。但我又不能说这个年轻人的话没有一定道理，鲜活的事实已经一次次让这些年轻人迷信了找关系，许多次的碰壁也让这些年轻人对正常的靠能力谋取出路、靠能力争取进步丧失了信心。

我们常谴责现在的年轻人越来越不谈工作了，但我们也应该反思一下，我们在这种风气中是不是起了推波助澜的作用？比如我那天不拿单据就取物的行为实际上就给同行的年轻人起了一个很不好的榜样，让他们更坚信了关系的无所不能，让他们认为有关系可以突破规章制度行事。还有在我们每个人的工作中，谁敢理直气壮地站起来说，不论是否有关系我都一视同仁？我、你、他都在一定程度上助长着这种风气的形成。

试想想，如果都说关系，这个世界是多么可怕。因为靠着关系走上这个岗位，因为靠着关系得到晋升，就很容易迷信关系的力量。因此，在他们手中握有权力之后，仍然会想着为有关系之人办事。提拔、重用有关系之人，恶性循环，都谈关系，谁来工作？谁来真正的为社会、为他人办一些实事？

想至此，我感觉眼前一片混沌，我不愿意这样的局面形成，可是，我，一个微不足道的人，有什么力量可以改变这一切？凭一己之力怎能扭转这种情况发生？但我想，如我一样忧思的人应该不在少数。我们只有不断提醒自己，我们手中的权力是人民赋予的，是用来为社会做事的，我们只是有幸进入这个岗位，不是只有我们才能胜任的。我们唯有珍惜，唯有诚惶诚恐地时刻检查我们是否对得起这份工作，而不是唯他人意图做事，唯关系做事。

4、说话的立场

人都是这样，站的立场不同，说出的话就不同。利益群体不同，说话的立场就不会相同。比如有钱人和穷人，比如物业和业主，等等。总的讲，人要能做到站在对方的立场说话很难。

领导时常会制定各项纪律，规定各种制度，限定大家该做什么不做什么，大会小会强调要有大局观念，要求大家勤奋工作，不要计较个人得失，时常也会抱怨下属不听话、不遵守纪律、不能按时完成工作、遇事斤斤计较……

而许多人会为各种制度呀纪律呀这些限制感到头疼，会抱怨领导不能理解大家，抱怨领导抠门、遇事不大方，抱怨领导做事不公平……

总之，各有各的怨言，各有各的道理，各有一肚子苦水，都觉得难于互相理解。在一个单位，领导说话是站在领导的角度考虑问题，站在全局的角度考虑问题，难免一定程度上就会忽视或照顾不到这些人或那一些人的利益，也难免不能做到面面俱到；而群众，由于没有权力，不在那个位置，也就很难考虑到领导的难处，而是从自己和小群体的利益考虑多些，常与别人、别的单位比较，更多看到的是不公平、不平等，难免怨言就出来了。

这是典型的各自站在各自的立场讲话的类型，还有许多类型的讲话立场是以利益为转移的。

比如，同事之间，可能在大多数事情上是一个立场，大家可以一起讨论国家以及本地区的大小事情，一起议论单位的问题，甚至一起谈论同事之间的一些家长里短。在这些谈资上，基本没有争议，气氛融洽。但是利益群体是复杂的，一个人可以分属多个利益群体，比如同一个科室、同样职务、同龄人、同一批晋升的人（古时候尤其重视同科书生的人的关系）等等，而利益本身也是会发生转移的。人常说"没有永远的朋友，只有永远的利益"，这话不是没有一定道理的。话题一旦伤到小团体的利益，或者说话不注意惹到某一个利益相同的人群了，刚才还是一片平和的气氛很快就会发生改变。那么，接下来就可能会出现尴尬的局面，可能马上会有人站出来毫不客气指出你说话不当，以维护自己的利益。往往是说话者被指责之后才会猛悟自己说错了什么。

都说是应该站在对方的立场上着想，站在公平的立场上说话。可是好多时候，什么是公平的，什么是正确的并不是太好区分的。这个世界，每天都在发生大大小小的各种纷争，大至国家之间，小至人与人之间，不能排除有许多人是在无理强三分，但大多数的纷争是各方都能讲出一定道理的，相争的双方或多方不好区分孰对孰错，原因就是站的立场不同，讲的道理也不一样。许多矛盾难以调和，与对错无关。

随着地位的变化，随着情势的变化，立场也会发生变化，说话方式自然发生转变。比如，群众有一天也有可能成为领导，领导也不会永远都当领导，是从群众中来，最后还要回到群众中去的。比如利益群体也。会发生变化，这段时间站在这个群体中，下段时间就可能与曾经对立的人成为另一个利益群体。

每个立场的人都要发出自己的声音，世界就是由这些五花八门的矛盾组成，无处不在。矛盾都是在对这些争议的不断调和中慢慢解决或转移的，世界的经济和政治也都是在这些争议中，在人们的努力中，千变万化、一直向好的。

5、干活越多毛病越多吗？

最近受理了几个玩忽职守的案子。

所谓玩忽职守是指国家机关工作人员严重不负责任，不履行或者不认真履行职责，致使公共财产、国家和人民利益遭受重大损失的行为。

在办理这几个案子的时候，大家又提到那个被无数次感叹过的话题：不工作就没有毛病，干活越多毛病越多。

其中一个案子是这样的：被安排做某项工作的人干到一半溜走了，然后我们审理的这个案子的被告人主动增加了工作量，帮忙做完了剩余的活，结果因为干活时没留心，给国家造成了一些损失。被告人很委屈，觉得自己帮了忙反而获了罪，以后这工作还如何做？不干活就没毛病？实际上不干活才是最大的玩忽职守！

不能否认，现实中这种情况时常发生。比如我们法院，办案多的办案人员，犯的错自然也多，而落的不是更多。大家兢兢业业如履薄冰地工作，错误依然在所难免，如果错误犯得大了犯得多了，必然轻则受到大家非议，重则受到一些追究。所以干活的人干得很累，而没有多少具体业务的人则优哉游哉快活自在。所以干活越多毛病越多的感慨时常从我们嘴边冒出。

但是，反过来想，作为一个社会中的人，做一个有用的人，能够受到尊重是每个人追求的目标。我们工作，一方面是为了挣工资养家糊口，另一方面还有精神上的满足感。我们在工作中受到了职业尊崇，我们有职业荣誉感。

比如做法官，我们因为自己的努力受到了当事人的尊重和社会的认可，我们会觉得这样的生活非常有意义。虽然累一些报酬少一些我们会发牢骚，虽然有时候工作劳而无功我们会沮丧，虽然有时受到非议我们会失去信心，但大家都在忙忙碌碌地尽力做着自己的工作，都在努力做好自己的工作，不想受到别人的否定评价。

其他工作也是如此，因为我们活着，我们就想活出自己的价值，被人"当人"。当我们抱怨我们干得太多时，也有许多人在用羡慕、敬佩的眼神看着我们，也有许多人因为自己没有那么好的工作机会，而牢骚满腹，怪话连篇。

既然我们有这样好的工作机会，我们就需做好手头的工作，珍惜工作的机会。所以我们应该这样认识，干活越多说明我们越有用，越被重用，我们没有理由在拥有这些的时候再抱怨我们做得太多了。从另一方面说，既然在做，就做好，如果不负责任，马马虎虎，不如不做，不负责任的工作态度比什么也不做危害更大。

所以我的观点是，要么不做，要么做好。国家既然给予了你工作的机会和权力，认认真真履行职责就是本分，否则就不要做。

6、责任

我一直在想，责任是什么意思？通常的意思有两方面：一是指份内应做的事，如职责、尽责任、岗位责任等。二是指没有做好自己工作，而应承担的不良后果或强制性义务。歌德说："责任就是对自己要求去做的事情有一种爱。"梁启超说："凡是我受过他好处的人，我对于他便有了责任。"

分析以上的说法，我认为"责"等同于"债"。我们对欠债的人负有责任。作为一个人，造物主在赋予我们生命的时候便赋予了我们责任。呱呱坠地，父母给了我们生命；我们呼吸的空气，维持我们生存的土地山川河流，都来源于大自然；我们生活的和平安定是因为有一个强大的祖国；我们学习成长得益于我们的一个个老师；我们的开心欢笑温暖是因为有朋友的相互依靠……我们的责任小到家庭和自己，大到国家和社会。我们有还不完的债，我们就有尽不完的责任。

因此，我们自己，作为一个社会成员，能够明确自己的责任，把份内的事做好，用感恩的心对待他人、朋友，对待自然界的一草一木，对得起天对得起地对得起人，就是在尽我们的责任。

对于子女，因为他们延续了我们的生命，给了我们欢笑和依靠，我们应该感谢他们，把子女养育成健康的人，教育成对社会有用的人，让他们能够负起自己的责任，这就是我们对国家对社会对子女所尽的责任。

对于养育地球上每一个生灵的大自然，我们应怀敬畏之心，顺应自然规律，保护环境，让适宜我们生存的天空大地山川河流能够生生不息，延绵不绝，继续我们人类的生存繁育，继续为我们的后代做贡献，这就是我们对大自然的责任。

最重要的，也是我最想说的是，作为一名公职人员，我们一定明白，我们的权力来源于哪里，对于能够赏识发现我们才能的人我们不能忘记，但我们更加不能忘记的是，我们的权力来源于人民，我们是靠着千千万万纳税人养活着，我们做事最关键是要对得起人民。

我见过有些人把一颗感恩的心给予了提拔重用自己的人，甘愿做牛做马伺候，无怨无悔，只看上不看下，官大一级压死人，唯上级马首是瞻，但对于老百姓颐指气使，从心底里轻蔑、看不起。每每看到这些我的心都在刺痛，口口声声喊着百姓是衣食父母，却做出伤害这些衣食父母的事。这些人没有明白自己欠的是谁的债，说到底我们欠的是人民的债呀。群众把他们心目中的官员选出来，目的是为了替他们办事的，而有些官员、公职人员把自己手中的权利当成了谋取私利的手段，真该好好反省一下：自己到底是在为谁负责？

责任是一个时时需要我们付出的义务，而它给予我们的，很可能是疲惫，是痛苦，甚至是我们的生命。但是，责任，促进着我们每个人进步，推动着社会发展。愿我们每个人都明白自己的责任，尽好自己的责任，做好份内的事，而不是受到责任追究，这样自己就有了立身之本，社会发展就有了强大的力量。

7、说规则

清晨，冷冷清清的十字路口，我又一次产生了闯红灯而过的欲望。但同时，我又一次想起了那个故事。那是一个午夜，两个人开车来到郊外一个十字路口，面对红灯，一个人停下车等待，旁边跟他同行的人问他：这个路口没有人没有车没有监控摄像头，你为什么还要等红灯过去？这个人回答：这个地方虽然偏僻，但规则不能违反，你看远方有几栋楼还亮着灯光，如果正好有哪个孩子趴在窗前看，看到有人闯红灯，他的心里就会产生没人监督就可以闯红灯的思想。

这个故事总在警醒着我，告诉我，作为一个守法的公民，尤其是自己还是一名法官，社会责任感必须有。

是啊，我要过的这个十字街口，虽然行人车辆稀少，但来来往往的都是上学的孩子，旁边可能还有多少窗户中有孩子在眺望呀。闯一次红灯可能快上那么几秒，却有可能产生一些意料不到的后果，况且，对于我，这几十秒钟并不能带给我任何效益。

其实，无论我们在做什么，时常应该想到，在我们不知道的地方，不知有多少双眼睛正在盯着我们，我们是否遵守规则，不只是有社会管理者在约束我们，也不只是我们的良心在约束我们，还有着许许多多看不见的眼睛在约束着我们。

也许有人会说我矫情，但我要说，世界就是由每一个个体组成的，每一个个体都应该有这样一份维护规则的社会责任感，如果每个人都遵守了规则，那社会该是多么美好。怕就怕在，大家都懂规则，大多数人想遵守规则，却因为有那么些不遵守规则的人破坏着规则，或者遵守规则会受到嘲笑，或者觉得许多规则在某些场合属于多余，或者还有"别人都这样，我破坏一次又何妨"的侥幸心理，等等，从而干扰着大家遵守规则。结果本来应该自觉遵守的规则，却不得不强制才可实施。

就比如闯红灯这件事，如果每天不是那么多的交警守护着，监控摄像头监督着，还有一旦抓住就会罚钱、扣分的处罚措施在威慑着，那么拥挤的交通更是一团乱麻。即使这样，还有许多人一旦有条件就违反规则，大家都见过并没有公务在身的警车无视交通规矩呼啸而过的场面，因为交警拿他们没办法。我就反对有些年轻司机开警车无视交通规则的霸道行为。年轻人还需要很好地引导，否则很容易被惯出毛病，且别说对社会的影响，对自己的发展就没有好处。还有许多人研究如何违反交通规则不会受到处罚的技巧，并广泛发布之。可气，可叹！

还比如，昨天我坐出租车，司机跟我说起最近天然气不够用，出租车司机每天为了加气而打架。说到这里，他开始吹嘘他插队的本事，讲他如何因为要插队别人不让，他就进行威胁，甚至拔掉人家的车钥匙，准备施以拳脚的故事，他说：这就是一个狼的社会，弱肉强食。多可怕的观点！规则在他眼中如草芥。

规则仅仅是社会对于人的最低要求，如果连规则都不能遵守，何谈高尚的人格！

8、外在的行为体现内心对他人的尊重与否

尊老爱幼，尊敬师长，这是中华民族的传统美德。因此，见到领导，见到长辈，见到师长，一声问好、一个点头、一抹微笑，就是在表示着我们的尊重和敬意。这是不需要人来教的礼节，也是我们素养的体现。

对他人的尊重，外化在一个人的语言和行动上，只有心里真正尊重他人的人，才会从语言和行动上体现出来。每个人的做法都不尽相同，但需要被尊重却是人性的共同点，亲戚、同事、朋友甚至路人之间都要相互尊重。

先说"说"。常听人评论某个人"嘴贵"，意思就是见了人不喜欢称呼，见了领导、长辈、年长者，一声"嗨"或者叫一声名字，或者什么也不叫直接说话。这种人还是非常常见的，对于这类人，许多人表现出的是宽容，认为尊重不尊重不在于形式上，

还有一些人就要见怪，感觉到不称呼职务、身份就是不尊重人的表现。

在这方面我一贯的做法是比较不在乎，毕竟名字就是让人来叫的，毕竟人家不想叫也不能勉强的，毕竟一个人有一个人的处事习惯，好像与尊重无关。但是，随着年龄渐长，随着识人无数，渐渐也看出了些门道——所谓"嘴贵"者还真是从骨子里不尊重人的人。虽然不乏口蜜腹剑者，但大抵还是这么个规律。实践证明，面对一个年长者能够直呼出其名字的人，一定是没有多少教养的人，一定是不懂得尊重人的人。

再说"做"。做就是行动，就是外在行为、表现。只有在心里尊重别人的人，才可能做出尊重别人的行动。举止嚣张、轻佻、傲慢、冷淡，不分长幼举止随便。见过有些小小官职的人或者家里有些钱财的人对自己的下属，对有求于自己的人，甚至是年长者颐指气使，让人觉得人格上受到蔑视。这种做法是心理空虚的表现，暂时可能赢得的是自己内心的成就感，但换来的却是更长远的失落感。对于不懂得尊重人者，大家都在忍着，可是大家心里记着呢，这些不尊重都在人脑中烙着。人活的是"口碑"，活的是人缘，没有了这些，痛苦的、受冷落的、心里空虚的还是你自己。

真的，内心有尊重，外在就会有表现，外在表现就体现着内心对人的尊重程度，同时，更重要的是，对人的尊重与否体现着一个人的素质和教养。

或许有人认为尊重别人没有什么意义，请听这句话："你希望别人怎样对待你，你就应该怎样对待别人。"

9、"被关机"

都说现在进入了一个"被时代"，你没见报纸上、网络上都经常出现"被就业"、"被离婚"、"被生病"、"被怀孕"等等字眼吗？，除了尚没有想到的，生活中似乎没有什么不可以"被如何"的了。这些"被"成为一种弊病，是荒唐的代名词，是这一群体被另一群体绑架的另类说法。

然而，有一种"被"却是一种无奈之举，那就是我们"被关机"，就是开会的时候或者举行什么仪式的时候，组织者屏蔽手机信号。信息广泛交流时代的人们，手机已经成为必不可少之物，大街小巷、机关学校、乡村闹市，各式手机铃声时常此起彼伏，甚而至于会议中、课堂上、图书室、展览馆等等这些明示或者暗示"禁止喧哗"的场所，手机铃声依然肆意地哼唱、叫嚣、低吟着。于是，一些正式的场合中，总要有人出来宣讲纪律，其中一条就有"关闭手机"，然而往往效用甚微。

其实，开会、开庭、上课等场所，关掉手机或者将手机调成静音是不需要人告知就应该做到的。老师讲课正讲到高潮，全体学生聚精会神倾听，突然来一声"送你离开千里之外，你无声黑白……"，再来一串叮叮叮咚咚的伴奏，那老师的讲课定会戛然而止，兴致再无法激发。会场上，上边领导正安排一些工作事宜，此起彼伏的铃声时不时打断领导的讲话，遇到是你在讲话恼火不恼火？这是素质问题，缺乏对人最起码的尊重，缺乏对规则的尊重。

于是，在各种正式场合三令五申要求关闭手机或者将手机调成静音无效的情况下，组织者不得不将手机信号屏蔽，我们不得不"被关机"。以至于现在我们习惯了这种"被关机"状况，进了会场、进了一些正规的场合，我们都不需要自己关手机了。假如有一天我们开大会时猛然发现手机还有信号，可能还会不适应了。前几天我去开一个会，可能会场没有安装屏蔽设施，当我听见会场上不绝于耳的手机铃声与大声接电话的声音时，才发现我的手机信号也是满格，我赶紧将手机调成静音。

我就感叹：有些人的素质，不"被关机"行吗？

10、通过男女厕所设置谈男女不平等

我没有做过统计，反正我去过的地方以及我正在生活和工作的地方，大多是男厕所比女厕所大，并且占用的地理位置好。

你见过商场内女厕所门口排的长长的队伍吗？你见过旅游景点女厕所门口排的长长的队伍吗？你见过某些办公场所女职员也在厕所门外徘徊等候吗？……作为女人，我经历的、见过的这样的场景太多了，好长时间都司空见惯了，把这一切当成正常，只是看着紧邻的男厕所门前稀稀拉拉进出的男人们羡慕。

实际上，在我猛然醒悟之后，我明白了这其实充分体现着男女的不平等。众所周知，女人如厕就是一件麻烦事，不但上厕所频繁，而且程序繁于男人好多。男人们不但如厕程序简便，而且另外还设置有众多小便池。有些办公场所，明明这一个楼层大多是女工作人员，男人寥寥无几，女厕所却只有一个便坑，并且不

通风，而男厕所却是好几个便坑，靠窗而设，厕所内另设置有几个壁式小便池。所以，经常会出现女职员上厕所等候的现象，有些胆子大点的等不及就敲敲男厕所的门，若没人应就插了门解决内急。为什么就不会让女人的厕所面积比男人的大些，或者至少一样大？

好多男人说，现在女人的地位提高得够意思了，不说别的，不是有多少女人当了领导，凌驾于男人之上吗？我认为，说这句话的男人本身就包含着对女人的蔑视，女人不能当领导？从比例上说是男领导多还是女领导多？尽管有很多妇女活跃在各级政治舞台上，但按比例算，她们人数仍然很少。不知大家是否知道，全国人民代表大会上有 1/5 的代表是女性，中央政治局委员的 9 名成员都参加了庆祝国际妇女节 100 周年纪念活动，然而他们都是男性。这是远处，从近处说，现在许多单位提拔干部，总要强调要一个女领导，这种强调并不是正常现象，正是因为没有女领导或女领导少才会提出这样的条件。我们还在某单位即将调整领导班子时听过这样的说法，班子里已经有了一个女的了，这次不可能再提女的了。你再看看你所在的单位男女领导比例是多少？你还能说，女人地位真的比男人高了吗？甚至你敢说女人地位与男人一样高吗？

在中国的民营出口型工厂里，妇女是一线工人中的骨干，在医学、新闻、教育领域，妇女也是佼佼者，但她们能够进入各级政权的权力中心和掌控国家经济命脉的大企业的核心领导层的却不多。许多女大学生、研究生面临着就业歧视，甚至许多农村家庭男人大男子主义、殴打女性家庭成员现象仍然相当普遍。是的，存在于社会各个角落和人们思想深处的事实上的男女不平等观念和现象，是大量的，举不胜举的，可以说每个社会成员都能感觉到。

我不是一个女权主义者，我只希望社会能够平等地对待女性，让男女平等这句口号不停留于空谈。每个社会成员要从自己做起，要从改变大量存在于社会日常生活中种种重男轻女的具体现象着手。

那么就从厕所改起。女人如厕排队的问题，不应看作是不值一提或难于启齿的"小事"。它是无日不在、关系到一半人类的权益和福祉的大事，也关系到我国的文明形象。可以想象，外国女士在那里排大队上厕所，会给她们留下什么印象。现在不是提倡要为群众办实事吗，我看改善女厕拥挤状况，就是一件迫切的、值得一做的实事。

11、孩子，我该拿你怎么办

镜头一：商场，女厕所门口排着蜿蜒的候厕队伍，大家虽然烦躁，但都按照秩序有条不紊地缓缓往前移。两个约七八岁的小女孩打打闹闹地过来了，不由分说拨开队伍挤到了厕所里面，一个厕所门刚打开，两个女孩把正在门口等候的我推开抢先冲了进去。

这两个孩子的做法让我不知该怎么办，硬抢吧，她们还是孩子，说不定小孩子尿急等不得，并且争起来还让人说是跟一个小孩争。但是，如果不去跟她们争，不教育她们几句，她们不知道这个世界有秩序、有规则，不知道人与人应互相谦让，不知道内急的不只她们自己。

镜头二：女儿12岁生日宴会上，请了亲戚的孩子来吃饭。蛋糕端来后，一个亲戚家的女儿叫他哥哥的上初二的男孩，从座位上站了起来，冲着我大嚷：先给我，先给我，我要那朵花！当时桌子旁大大小小七八个小孩，大的有十六七岁，小的五六岁，包括过生日的女儿都安安静静地坐在座位上等待。

以我的想法以及常理，肯定是先给"小寿星"蛋糕，然后每个人都分一块。这个孩子的做法让我为了难，他的父母都在边上，没有一个人制止他的行为，我若先不给他，难免让亲戚觉得我不照顾他们的孩子，对我有意见。如果我把蛋糕先给了这个孩子，并且就把那朵最鲜艳的花给了他，难免让在场的孩子产生谁会抢谁就得到的好处多的想法。对这个孩子来言，他是独生子，家里的霸王，谁都得让着他，我按他的要求去做，无疑助长了他的霸道，让他认为，无论在哪儿，谁都得让着他，这对他的教育成长非常不利。

现在的孩子大都是独生子女，这样的例子很多，或许更有甚者。每每遇到类似事情，我都会感叹：孩子，我该拿你怎么办？

是呀，我应该爱着你们，谦让着你们，因为你们是孩子，我是成年人，帮助照顾青少年是我们义不容辞的责任。但是，作为社会的一分子，我还应该像对待小树一样，有义务帮你们长得直长得正，教育你们，让你们明白做人的道理。

作为孩子的家长，包括爷爷奶奶、姥姥姥爷，很多人都把自己的孩子、孙子当成命根子一样娇纵，在这样的教育下，孩子眼睛里只有自己，不懂得谦让，不懂得分享，如不注意矫正，将不能适应社会。

这是一个群体性的社会，在这个社会中，需要相互配合、相互帮助，大家不能脱离社会而独自生活。一个朋友说他孩子玩"农场"时不要好友，怕好友偷他的，他不偷别人的，也不愿意让别人偷自己的，我想这样就失去这个游戏的乐趣了。记得一个朋友讲他孩子刚上幼儿园时，老师让每个同学都要带一件玩具到学校，与小伙伴互相换着玩，朋友家的孩子就不愿意带自己的玩具，他说：凭什么我的玩具让别人玩？结果到学校后，由于他没有玩具，没人跟他玩，他一个人孤孤单单的，很不开心，几天之后他憋不住了，把自己的玩具带去学校，这样才有了同学与他一起玩，他的脸上方绽开了笑颜。

同时，为了维护社会的稳定和公平，制定了许多法律、秩序和规则。对这些法律、秩序和规则，每个人都应当平等地遵守，没有一个人具有超越的特权。这些观念，必须一点一滴灌输给我们的孩子们，从小抓起，让他们明白，他们自己是社会的一分子，同其他人是一样的，无视这些，将会对社会造成破坏，对他人造成伤害，对自己可能成为灾难。

我想，不只是孩子的父母亲人有教育孩子的义务，我们每个有良知的人也有义务制止小孩子的不良行为，帮助他们健康成长。

12、谁剥夺了我们哭泣的权利

看到一句话：我们始终都在练习微笑，终于变成不敢哭的人。

不由引起我的感叹：是谁剥夺了我们哭泣的权利？

我们每个人都是随着响亮的哭声来到世间，这骄傲的肆无忌惮的哭声宣告了我们的降临，也宣告了我们的健康，同时带给了我们亲人欣喜。但是，从此以后，我们的哭声成了我们亲人惧怕的声音，只要一哭，就会被抱在怀中。其实，大家都明白婴儿的哭声是有很多含义的，它是宝宝表达自己感情、需要以及身体状况的一种特殊语言，甚至大多情况下婴儿的哭泣是一种有益身心的锻炼。是的，在婴儿时，我们哭泣的权利第一次被剥夺。

随着我们的渐渐长大，家长灌输给我们的思想是要坚强，于是哭泣成了懦弱的代名词。常听有些家长训斥孩子："哭什么哭，不许哭！""丢人不丢人，一天到晚就知道哭！"我小时候爱哭，我妈常这样骂我："脓包！眼泪比尿水都多！"于是，孩子们哽咽着把哭声生生地憋了回去，一串眼泪却是不可遏制地流过了脸颊。因此，现在每每耳边传来这样的话，我都止不住地心疼，孩子的可爱就在于他们不同于成人的真实，他们想哭就哭想笑就笑，毫不隐藏的把喜怒哀乐放在脸上。但是家庭、社会都在剥夺他们哭泣的权利。

长大了，成人了，我们需要自己面对的东西越来越多，更是不敢哭泣了。我们所有受的教育都是笑着面对一切，无论是失意、痛苦或者是悲伤，能够笑着面对是一个人真正成熟的表现。如果我们在不痛快的时候哭泣，就会被认为还没有长大，太软弱，没骨气，对痛苦的承受能力太低，太不能克制感情，不深沉不内敛也不深刻，太情绪化等等。痛苦也要强挺着，装作若无其事，实在忍不住了也要有泪往肚子里咽，而绝对不可以让它流出来，更不能当着别人的面流出来，否则，我们的形象就要受到影响，作为一个人的尊严更将受到指责。假如哪个人放声大哭，他所得到的不一定是安慰、同情和理解，而更多的是受到更深的伤害——受到耻笑。我们哭泣的权利被彻底的剥夺了。

人越长大，就越习惯于压抑内心的真实感受，不再放声大哭，什么都只是淡淡的点到为止。好像越来越没有什么事情，可以让我们伤心到立刻落泪，像是传说中丢失了泪腺的骆驼，再也找不出释放伤感的出口。于是一滴泪，在渗出眼眶之前，早已在心中酝酿了许久，甚至可能在落下之前，已经悄悄蒸发。

于是，每个人都在假装坚强，每个人都在保留笑容，笑都成了一种固定的表情模式，自己都不明白自己为什么在笑。我们强颜欢笑、含着泪笑、媚笑、麻木地笑……我们在不断地武装我们的心，或者叫伪装，慢慢地，由于不能肆意地发泄，我们变得越来越坚硬，心就不似原来那样多愁善感，那样敏感，那样善良了。

可是，作为一个人，需要发泄，需要释放，而哭泣是释放痛苦最直接最有效的方式，它能给心理上的压力带来自然的调节，使痛苦的情绪得到自然的康复，是作为感情动物的人类保持身心健康所必须的，是作为生物体最自然的自我疗伤方式。

其实，我们的哭被社会的评价标准，被我们自己的内心给剥夺了，我们为了适应社会的需求，只是在学着练习微笑，不敢哭泣了。

当然，我还是认为笑比哭好，但是，我多么希望我们可以放松地想笑就笑，想哭就哭，快乐了可以哈哈大笑，伤心了可以嚎啕痛哭。

13、关于报恩的话题

前不久，电视与报刊上出现了许多有关某个名人与其恩人发生矛盾以致决裂的报道。由这些报道，让我思考"报恩"这个问题。

中国传统是有恩必报，"受人滴水之恩，当以涌泉相报"，这句话是对这一传统美德的最好的宣讲。自古至今，有许多报恩的佳话流传世间，这种美德一代一代在传承。我们的生活中也时时会出现报恩的行为，有些挂在嘴上，表现在脸上，有些落实在行动上。当我们受到帮助、收到恩泽的时候，我们牢记在心，报之以微笑，说一声"谢谢"，尽己所能回报于施恩者，他人或者社会，这都是报恩的方式。生活因为这些微笑、这些话语、这些行动而充满温馨。

对于不能感恩图报者，大家会嗤之以鼻。我们有些人心安理得的接受着别人的恩惠，接受着别人的照顾，没有一句感谢不说，反而会觉得别人傻，践踏别人的善良，让人心冷。还有些人用自己的心思揣摩别人，认为别人的照顾帮助是有所图，存在戒备心理。有些人，面对别人的帮助照顾，淡然处之，认为这些不需要回报……

这些都是少数，我们这样一个讲礼仪的社会，感恩还是社会的主旋律。

但我还想说的是，回报多少是够，如何回报？

我认为，报恩应该是有底线的，有原则的，施恩者也不能借着对别人有过好处就始终以恩人自居，漫天"要价"。

那个名人与其恩人之间的是是非非，我说不清，大家说不清，包括他们本人也不一定能够说清。发生矛盾，大家都觉得自己委屈，都能讲出一套自己多么有理的话来，引得别人也是忽左忽右，无法判断，都是从自己的立场考虑问题的。作为施恩者，认为我对你多么多么好，如果没有我，哪儿会有你今天的成就，你就应该听我的。作为报恩者，认为这么多年的付出，委屈自己，本身认为已经做得够好了，仍然引来你的怨言，就会出现压力、不堪重负，终有一天会掰的。

现实生活中这种情况也常见，如总会听到这样的话：我当初对他那么好，现在他翅膀硬了，能单飞了，就不把我放在眼里了，我的话也可以不听了。引得大家在旁附和：就是就是，真是个白眼狼。也听过这样的话：他当初确实有恩于我，但我这些年做牛做马，也该还完了吧。这样的话，也同样引得大家同情。

作为施恩者，大多是当初做好事时就没有想着回报，包括在后来对接受其恩惠的人也是非常爱护，甚至出于善意地安排他的活动，甚至干涉他的生活。有些人也确做得过分，受惠者稍有不从，"恩人"就会变脸，类似于老子与儿子的模式。说实话，这种管制让人痛苦。不是翅膀硬了，而是每个人有每个人的做事方式，一味干涉带来的是痛苦，时间长了就会反抗，于是一反抗双方都委屈。

这就是互相理解的问题了。帮助了别人，使别人受益了，应该为自己做了好事而感到充实、快乐，而不是为求回报。对于别人的感恩也予以感激，赞赏别人的知恩图报，不是以恩人的姿态横加干涉，而是对作为一个自己曾经扶持过的人予以关注，看着他健康成长，必要的时候扶上一把。对于接受过别人好处的人，发扬中华民族的优良传统，知恩图报，明白干涉和关心的区别，对别人的关心表示感谢。

报恩没有量的多少，也没有固定的方式，无论报恩和接受报恩，都是要有尊严的。

希望天下的人有恩必报，而不因不能相互理解反目成仇。

14、所谓的"民主"

"民主"是个好东西，其相对于专制而言，所以大凡"有权者"都称自己是"民主"的，凡事都想披上民主的外衣，究其实，其所作所为有多少真正的民主在其中，我想他们知道，我们、你们也都知道，只是谁也不愿挑破，更准确地说是不敢挑破而已。

咱就说家庭，每个家庭都有一个说话算数的。今天一个朋友开玩笑说："不管家里排到第几把手，最后还是男人说了算。"当然也不排除个别家庭是女人强势，女人说了算。谁说了算，一般是以谁掌握着家里财权为标准。

在过去，男人是家里的天，咳嗽一声都很有威力，说一不二，家里的大事小情从不经过民主决策，女人儿孙之类只管执行就行。现在这样做明显是不行了，社会主义提倡人人平等，还在这样独断的话，未免就被大家认为没有素质。所以有素质的人或自认为有素质的人总想把民主摆在重要位置。所以好多男人会时常自贬，说自己在家里属于最没有地位者，如果家里有猫或者狗，他的排名还会再靠后。但就是这些很谦虚地说着自己没地位的人，实际上在家里却往往是说了算的人。

在家里说了算的人，还不想让大家觉得他不民主，于是做事总想披上民主的外衣。比如他已经决定买新电视机了，他会这样说："商量个事，咱们是不是买个新电视机？"如果你说行，那好办，如果你说不行，他会先给你讲买一台新电视机有一二三四等诸多点好处，如果不能说服，他可能接下来就会面露不悦，再接下来可能就会拍案而起，到最后电视机还是买回来了。你争个几次下来都是失败，就放聪明了，明白人家看似跟你商量，不过是以商量的口气通知你一声罢了，不如顺从算了。长期下来，你就只有频频点头表示赞成的份儿了。然后假如以后他的决策出现失误和偏差，他会理直气壮地说："这是咱们当初商量了的！"看看，这就是能说了算的人执行"民主"的"好处"，你没有决策权，但你有承担责任的义务。

别的方面，比如说一些有权者、一把手是不是也这样实行民主呢？我想许多人是见识过的。与家里无二，一些决策、一些决定都是用民主的商量的形式通知大家一声。假如有的公司或单位有了空位置，头儿想提拔某个人，会召集一定范围的人开会"商议"，一般不会说：现在有了一个空位置，大家认为让谁干比较合适？而一般可能会这样说：现在有了一个空位置，我想让某某某到这个岗位上来，大家看怎么样？如果是前者说法，可能就会脱离头儿的初衷，不一定会把他心中的人选给定下来。如果是后者的说法，大家就心照不宣了，明白是让谁上了，结果就是：会议一致通过由某某某担任某职务。看似民主决定的，实际上也就是走个民主的形式罢了。然而，不出问题便罢，一出问题还是要那些人集体负责，因为这是民主决策的呀。同样，你没有决策权，但你有承担责任的义务。

15、本末倒置的因果关系

唯物辩证法是这样描述因果关系的：原因和结果是揭示事物或现象间普遍联系和相互作用的哲学范畴。原因是指引起一定现象的现象，结果是指由原因起作用而被引起的现象。事物或现象之间这种引起或被引起的关系，就是因果关系。一种原因可以产生多种结果，多种原因可以产生一种结果。在产生结果的原因中又可以分为内因和外因，内因是指事物自身所包含的诸要素的对立统一，即内部矛盾；外因是指一事物和他事物的对立统一，即外部矛盾。内因是第一位的，是事物发展的根据，外因是第二位的，是事物发展的外部条件。

我这里并不是在传授因果关系理论，其实理论上的因果关系比较单纯，而现实生活中的因果关系却复杂得多。一个原因引起多种结果可能还好分析一些，而由于多种原因引起的一种结果就复杂了。这种复杂表现在，你难以分析透到底哪个是内因，哪个是外因，哪个是主要原因，哪个是次要原因。更多的情况是明明心里清楚着呢，有人就要搅浑，让不明真相的人，甚至是当事人自己都糊涂了。

这就看是什么事了，怎么个搅法了。如果是做出了成绩，许多人共同努力，每个人都付出了心血，比如有组织领导者，有宣传发动者，有具体实施者，有协助者，那么功劳都愿意抢，都认为自己付出的劳动多，自己的功劳大。能够根据作用大小论功行赏，这是最公平的，也是大家愿意看到的。而这只是理论上的说法，在实际上真正行赏的时候，可就与某些人的意志有关了。掌握赏赐权的是有话语权的人，看这个人侧重于哪方面，对哪个人有倾向性。且不要谈领导者有倾向性，即使真想着公平办事的人，由于自己的认识不同，自己的经历出身不同，自己的侧重点不同，也会出现不同的结果，何况由于人的亲疏不一样故意为之呢。

有人会认为，能取得这么好的成绩，全在于有一个好的领导，俗话说"火车跑得快，全靠车头带"嘛，主要功劳是组织领导者的。还有人会认为，宣传发动很重要，干劲没鼓起来能做好吗？宣传报道没跟上能让外界知道吗？主要功劳当然在于宣传发动。也有人会认为，领导得再好，宣传得再好，没有人脚踏实地做，也是出不了成绩的。当然更有人认为，辅助工作很重要，没有大家的协助，没有外围支持，也很难出成绩。这就是认识的差异，由于有差异，由于有故意的倾向性，有些时候就可能出现本末倒置的结果——脚踏实地付出劳动最多者不一定就能得到最好的赏赐，可能会放在最次要的位置，或者干脆就认为这是份内工作，本就该如此做的，谈何赏赐？因此论功行赏没你的份儿。而华而不实，溜须拍马，依靠许多附加条件者反而会获得更多些。

再说工作中出现了问题，甚至出现了事故，要追究责任的时候，有的人就急于把自己撇清。出现问题的情况可能是一个人的原因，也可能是多个人的原因，这些原因中，有具体办事人员的不细心马虎，有组织领导者的指挥不当、决策失误，有其他人员的推波助澜，或许还有不可抗力的情形出现，总之，因为这种种原因，出了问题。就像有了成绩应该论功行赏一样，有了错误，出了问题，该谁的责任谁负起来，是正确的做法。

事实往往并非如此，比如领导者会说，我仅仅就是领导责任嘛，关键还是具体办事人员没有尽其责任，是直接责任人；具体办事者会说，我是在领导的安排下做的呀，我没违背原则，领导指哪儿打哪儿有错吗？况且不是那些相关人员捣乱，事情也不至于到此境地；其他人员也会委屈，我让你们帮忙了，也没让你们违背原则呀，或者说，主要做事的是你们，我就是让帮个忙么，也有错呀？就像是扔皮球，扔来扔去的。

现实中，真正引起某种不良后果的原因有时是很复杂的，需要好好捋捋头绪才能明白。然而非常清楚的事实是，遇到问题，有的人责任更大一些，可能是内因，却要把问题推到别人身上，推到外因这儿，而且这种人还满嘴都是理。因果关系本末倒置，有时候你都弄糊涂了：或许真是我的错？如果我不去做不就没事了吗？但你反过来又想，如果不做的话，一是违背职业要求，不服从工作分配；二是你没完成你份内的工作，不是更不合适吗？

复杂的的因果关系真的让人很无奈！

16、以人为镜

记不得是在哪儿看过一句话：一个男人，如果看见自己的老婆越来越像丈母娘，那么说明你老了。当时我并不理解这句话，只是觉得有意思，后来慢慢明白了道理在哪儿，这实际上是以人为镜照自己的问题，老婆越来越像丈母娘了，说明老婆老了，如果老婆老了，那么自己岂能不老？

是啊，作为一个人就要善于用别人作镜子时不时照照自己。还是说这个年龄问题，每个年龄段有每个年龄段的风采与气度，少年的天真，青年的活力，中年的成熟，老年的沉稳，是生活历练的结果，也有个人的修养在其中。我们处于某个年龄阶段，就要明白在自己的年龄段，怎样做是美，怎样做是丑，就要加以修炼，使自己朝着越来越美好的方面发展，摈弃自己身上与这个年龄段不符的内容。

记得女儿在上初中时，受周围同学的影响，喜欢朝着老成的方面打扮，穿特别成人化的衣服和鞋子，背着大人的单肩包，自己以为这就是美，无论我如何苦口婆心地劝，她硬是认识不到清纯是这个年龄段最美的装扮。她上高中后，由于是重点中学，学生都是各个学校的佼佼者，不仅是学习方面，就是服饰用品之类都是好学生的标准装扮。女儿渐渐从别人身上受到启发，朴素的衣装，简单的发型，背上一个运动双肩包，少了痞气，多了学生味，可爱之极，令人欣慰。

其实，不只是孩子，我们每个人都有过不知该做何打扮的尴尬时候，衣服不得体的时候时常有之。这时候我们就需要看看我们的同龄人，发现别人不得体的装扮，我们尽量克服，不要让这样的装扮举止出现在自己的身上。发现别人的美要善于学习、吸收，让这些得体的装扮成为自己美好气质的一部分。

以人为镜不只是在表面上，更重要的是在内在。唐朝魏征死后，唐太宗感慨地说："以铜为镜，可以正衣冠；以古为镜，可以知兴替；以人为镜，可以明得失。"外在表现体现人的内心行为，观别人识自己，以别人的言谈举止作为自己的镜子，明白好坏优劣，然后好的方面自己采纳，不好的方面看看自己身上是否也有，有则改之无则加勉。

记得那年上师范时与几个同学一起进城购买班级元旦联欢会

用品，学校距离城里有二十余里路程，我们一人骑一辆自行车，购完物品下来大家都累了，每个人车子上都载着大包小包的东西。在办完这些事之后，其中一个同学提出帮一个同学捎着买一件东西，于是我们推着车子在城里大街小巷地找同学所说的东西，又累又饿，我们都提出不要买了，这个同学让我们歇着，坚持自己一个人去找，他说：答应人家了就要帮人家办到。这句话当时对我产生了震撼，是啊，答应了的事就一定要办到，我当时就暗下决心，我一定要做到这一点。直到现在，我感到在这方面我是问心无愧的。这种品性的形成就因为同学的一个行为和一句话，因为在他身上我看到了言而有信的美，并以这个同学为镜，时时拿出来对照一下。

当然，社会中存在着许多的丑恶，我们嗤之以鼻，我们看着恶心，但许多人在怒斥别人的不文明时，自己也在做着同样的事，在别人的行为给自己带来不便时，自己也在进行着同样的让别人不便的行为，这就很不对了，这是只拿镜子照别人而不照自己。我们都应该想想自己是否这样。

用别人来照自己，通过别人的行为反思自己，这样我们自己会变得更好，也给社会增添一份美好。

17、设身处地考虑事情

我一贯受到的教育是，晚上行车时，对面过来的即使是一个行人，也要变成近光行驶。这一点我是坚定不移地做着，认为这是一个驾车者就起码应该有的觉悟，尽管好多人并不这样做。

最近我又多了一个好习惯，那就是在晚上行车跟在别的车后面或者超车时，把灯光调成近光。这是我从一个年轻司机身上受到的启发。

前段时间的一个晚上，我坐这个年轻司机的车出门，当他快追上前面的车时，他把远光调成了近光行驶，我问他为什么这样做，他没有正面回答，只问了我一句：你开车时，不觉得后面的车距离你近了时晃眼睛吗？是呀，真是这样，后面车大灯一开，灯光直接照射到倒车镜上，刺眼的光晃得人半天看不清路，深受其害。

我佩服这个年轻司机有这样的思考问题方式，由自己的痛苦联想到不应该让别人也受这样的痛苦，很好！

其实，我们常常不会反思，不会设身处地替别人考虑。当我们面对别人制造的障碍时，当我们遇到麻烦时，当别人让我们不方便时，我们大多会抱怨，却不一定反思，我们可能也会犯同样的错误，也在妨碍着别人。好多时候我们并不是有意就要妨碍别人，而是意识不到，忘却了自己曾经受过的痛苦。

这个年轻司机的话警醒了我，不光是夜间行车中，任何事情都是这样，当你觉得别人的行为让你痛苦时，请你不要再有这样的行为出现，让别人也经受痛苦。

或许有人会说，他用大灯晃我我也要用大灯晃他，他怎样对待我，我就怎样对待他。我认为大可不必，与人为善应是我们基本的品质，以德报怨也不失为一种美德。

比如我们去一些部门办事，因为受到冷落而心情不好时，我们一定要做到，当我们手中握有权力，我们一定要善待他人，态度友好，让人感到温暖。

还比如，当一辆车飞驶而过溅你一身雨水时，你不只是要咒骂，你一定要想到，当你开车时，遇到水坑小心行驶，千万不要把水溅到别人身上。

再比如，当你的老人因为坐车没人让座而备受痛苦时，你不应该抱怨世风日下，你要从自己做起进行改变，把你的座位让给需要帮助的人。

……

这样的时候太多了，我们需要做到的是，设身处地替人着想，因为让我们感到痛苦的事情别人同样也会痛苦。

18、老人摔倒，谁来扶？

电视台曾有节目讨论这个话题：老人摔倒，谁来扶？

在这个节目中，一个人提建议，在闹市区设立一个自愿者救助站，专门扶那些摔倒的老人，这样可以解决老人摔倒没人扶的情况发生。他的这个建议得到许多人的反对，理由不外乎有以下几点：第一，成本太高，每天不会有那么多老人会摔倒需要去扶；第二，看到老人摔倒，给120、110打电话比找救助站方便得多、快捷得多；第三，设立免责条款就比设立救助站方便不少。更有观众提出：难道这个社会就因为个别老人的不良行为而失去传统美德吗？敬老爱幼永远是每个人应有的品质，不管社会如何变化，我会坚持这种美德不变，老人摔倒我会去扶！

是啊，明明敬老爱幼的教育我们从小就在接受着，老人摔倒应该毫不犹豫地扶上一把，但却还要拿出来让大家讨论"谁来扶"，这并不是电视台的故弄玄虚，由此可以看出，这种老人摔倒没人去扶的现象已经成为较为普遍的问题，需要拿出来作为一个问题讨论了。

我想起我74岁的婆婆曾经说过，她站在路边上拦不住出租车和公共汽车，没有人愿意载她，往往进城都是跑下来的。她说：我太老了，人家怕呢。所以婆婆轻易都不敢下城了。

以前我不理解，老人有什么可怕的？他们要去哪儿拉到哪儿就行了，有什么难的。直到我自己亲身经历了一件事，我才理解了用车载老人的危险性。

前几天，在一个乡村公路上，一个老人拦我的车进城，我毫不犹豫地停下车。这个老人太老了，拄着拐棍，不能自己爬上我的车座，我下车把她扶上了车。老人边上车边嘴里念叨着：我不晕车，我不晕车，你放心，我不晕车，我什么车也不晕……我嘴里应着：对，好，你不晕车。老人坐上车后一直说：你是个好人，那些出租车都不让我坐车，不怕，我不讹你……这时候，我的脑子里就打上了问号：为什么那些出租车不让老人坐？然后我问老人多大年纪了，老人说她74岁。可我怎么看都觉得比我婆婆显老，但也没深究。快进城时，老人告诉我，她其实78岁了，怕我不让她坐车故意把自己的年龄说小了。这一路上老人都在声明：她不会讹我的。

说实话，本来我是出于本能没有多加考虑把老人扶上车的。

但老人越是这样说，我脑子里反而想得越多：万一我把老人放到目的地，老人出了问题，她家属向我要人怎么办？万一老人在坐我车期间出现身体不适的状况我怎么办？万一老人不下车怎么办？……当然老人脑子很清楚，能很清晰地说出要去的地点，并且在看清是她要去的地方之后下车了，也没什么后果。

这件事已经过去好几天了，但我还是觉着后怕，一直在思考：如果以后再遇到类似情况我该如何办？由此我也理解了婆婆总被拒载的原因。

正好就看到了这样一期节目。节目刚开始，主持人就问观众，如果你碰见老人摔倒，你会去扶吗？大部分观众举牌表示自己会去扶。然后主持人就设想了一个老人摔倒后，反而去讹诈扶他起来的人的情景，并且播放了有关此内容的《离开雷锋的日子》片段，再次让大家举牌，人数基本没发生什么变化，依然是大多数人在举牌。

我想大家是真诚的，大家始终相信好人总是大多数，不能因为个别老人的"碰瓷"、讹诈就否定了所有的老人，就怀疑了人性。老人本身是社会的弱势群体，需要全社会去关注的。我们每个人都有老人，我们每个人也都会变老，想想我们年迈的父母如果出现问题没人关心，那我们会对这个社会多么寒心！所以我们首先不要做让别人感到寒心的人。我们古人都有"老吾老及人之老"的思想，几千年的传统，不能在我们这些人手里丢失，尊重老人、关爱老人，是我们义不容辞的义务。

我们在呼吁社会各界为"扶起摔倒的老人"做一些倡导，并为去掉我们心头的阴影做一些事情的同时，我们自己能够发自内心地真诚地说一声：老人摔倒了，我来扶！

19、不要撞了南墙才回头

一个同事讲到夫妻关系时说：夫妻之间没必要较真儿，遇事绕着走，不要明明是一堵墙就要往上撞。由此话，我想起"不撞南墙不回头"这句话。突然很想知道为什么人们爱说"南墙"，而不说"北墙"、"东墙"或"西墙"？

上网一查还真有，一个很有学问的人是这样讲的："南墙指影壁。我国的建筑物大门一般都是朝南开的，旧时代有地位、有势力的人家大门外都有影壁墙，所以出了门就要向左或右行，直着走肯定撞南墙。不撞南墙不回头这种现象比喻某人的行为固执，听不进不同意见。与'一条道走到黑'、'不到黄河心不死'同义。"我深以为然。

凡出现这类词必有这类事。想想我们生活中这种"撞南墙"的时候很多，实际上结果是自己跟自己过不去。人活着，不顺心事总不会断，出其不意可能就会冒出一些，令人烦心。

比如对于自己仕途的追求，不到看不到希望的那一刻，将永无止境。平民百姓时想着有个一官半职不枉此生，等到稍有点官职，便向往更高的职位，大有能到此位此生足矣之叹……这个努力的过程并不总是快乐的，有些人常常被心理的、身体的以及其他的问题不时困扰着。有时候目标实现了，但快乐是短暂的；而当目标实现不了，会想不开、郁闷、嫉妒，以前所有的成功都抵不了本次失败的失落感。这就是心理上在撞南墙。

比如人际关系包括夫妻关系。人各有自己的脾气和性格，不排除有些人确实是有恶念，有些人确实是大善，但大部分人是无所谓好坏的，只是性格不同罢了。人的本性决定了凡事容易从自己的角度考虑问题，不大能设身处地想事情。有句话说，人能看见别人的缺点，却没有勇气正视自己的毛病。因此，一旦发生纠纷，让第三人评判是非、判断孰对孰错很难，作为第三人也不愿意掺和到是非中，所以别希望有人会做出判断。如果自己硬是想不开，非要让对方认错，是一件很愚蠢的事情。一点纠纷没完没了地想不开、没完没了地结着疙瘩，无异于撞南墙，受伤的还是自己。

我每次打开 QQ，都能在好友名单中发现他，我的一个得重病的同事，对比之下，心里不由就感觉自己是幸福的，就能想开一些事了。是呀，有什么想不开呀？在生命和一些无谓的争抢之间比较，哪个更重要不言而喻。前几天这个同事发来这样一条让人心酸的信息：身处无菌病房，徒对五面白墙，新朋旧友面庞，泪水无声流淌。我看完后感觉心里在流泪，我不知该回什么话来安慰他，觉得所有的语言都是苍白无力的。他曾经也是一个活力四射有着美好前途的人呀！记得看过一篇文章，作者说他心情不好的时候，想不开事情的时候，就去医院，看着被疾病折磨的痛苦的人们，觉着自己还健康着，真好！就能重新拾起对生活的信心。面对疾病，一切都是轻飘飘的，没有什么想不开的，争什么抢什么呀？为什么非要找南墙撞呀？

面对不如意，让周围的人跟着不顺心是小事，大家都能躲得开，不理你便罢了。而自己，永远躲不开自己的心，陷入生气的状态中徒增个人痛苦，也于事无补。

学会绕着弯的走路，学会转着弯的思考。转过去又是坦途，尽了努力仍不能成功就一笑置之，理解他人宽厚处之不计小隙，这样多好。

20、党员会议

好久没有开过这样的党员会议了。

进入会场，最显眼的就是会场正中间悬挂的党旗。说实话，这面镰刀斧头的旗帜我也好久没有看见过了。乍一看见，有一种亲切感从心头升起。小时候，当我还是少先队员的时候，老师就告诉我们，我们胸前佩戴的红领巾是党旗的一角，是用烈士的鲜血染红的。后来先后加入了中国共产主义青年团和中国共产党，那鲜红的旗帜如此鲜艳，当我对着它宣誓时，有多少骄傲在心头涌动呀！这面美丽的党旗不知何时被一些人，当然也包括我，从心里高高搁置了起来。

一名小伙子即将通过这次会议加入中国共产党，成为一名预备党员。会议严格按照程序进行。但正是这个会场的设置和会议的议程引来了三种反应。一种态度觉得，这才是像样的会议，如此重要的会议早该这样进行了，这代表一些人的观点；第二种表现是好多人一直在窃笑，感到这种做法像在演戏，太煞有介事；第三种表现是无所谓，不管怎么做都面无表情。

面对这种少有的严肃的党员会议，我的第一反应也是觉得有点不习惯了。但是当一个同事说："早该这样了，这样才能体现党组织的形象！"我顿觉赧然。

随着经济的发展，人们变得浮躁起来。想想以前，成为一名党员是很光荣的事情。年轻人积极参加入党积极分子培训班，积极写入党申请书，积极为成为一名共产党员而努力。看到谁是共产党员，真是肃然起敬！群众感觉党员就是不一样，个个都是先锋模范，吃苦在前，享受在后。许多老干部更是怀着对党的忠诚和热爱，坚守着自己神圣的誓言。还有许多人终生都在追求着成为一名共产党员。我最印象深刻的是我父亲的一个老同事，写了许多年的入党申请书，直到十来年前，即将退休时才加入了中国共产党，那个时候我都是党员好多年了。当他加入共产党的时候，他的激动无以言表，在给父亲的信中，他开头一句就是："我光荣地加入了中国共产党！"他是用自豪的口气告诉父亲这个好消息的。

我也是有着24年党龄的老党员了，那时我还是一名学生，刚满19岁。现在回忆起来，那个时候入党是多么神圣，成为一名党员，我很骄傲。我们随着领读员，庄严地宣誓：我志愿加入中国共产党，拥护党的纲领，遵守党的章程，履行党员义务，执行党的决定，严守党的纪律，保守党的秘密，对党忠诚，积极工作，为共产主义奋斗终身，随时准备为党和人民牺牲一切，永不叛党。

这些年来，我淡忘了这个誓词，我想一些人也淡忘了。今天，当这个庄严的仪式进行到入党宣誓时，我重温了这个誓词。尤其是最后一句"随时为党和人民牺牲一切"，让我心里感到了震撼：我曾经也有过这样的宣誓吗？我做到了吗？在党和人民的利益与个人利益之间，我有没有准备着随时为党和人民的利益牺牲自己的利益？我想我是羞愧的。

这次党员会议让我产生了许多反思，我觉得真的应该从心里重视这样的会议了。入党是为了什么？这是我们必须搞清的问题。现在一些人功利思想比较严重，入党是为了个人升官发财的需要，是为了谋取到个人利益的需要，也是满足个人虚荣心的需要。我认为作为一名党员，应该努力做到有困难，不退缩；有责任，敢承担；有好处，不独享；有义务，不逃避。必须做到"五讲"，即讲政治、讲学习、讲正气、讲贡献、讲创新。我想这些做到了，我们就是称职的、合格的共产党员。

今天的党员会议，让大家义·次深深体验到作为一名党员的光荣感、使命感、神圣感。愿我们的党更强大！愿我们的祖国更加繁荣昌盛！

21、我赢了，却心痛了

与女儿在饭店吃饭，我们坐在靠窗的位置，正好可以看见窗外那棵盛开着雪一样花朵的杏树，感受着春天，感受着温馨。

这时，饭店的喇叭里，服务员用温柔的话语提醒一辆车号为xxxx的车辆稍作挪动，因为这辆车阻碍了车俩和行人的通行。我们赶紧在窗外寻找这辆车，是的，我们透过窗户可以清楚看见，这辆车就横在饭店门口的过道上，影响通行。

女儿说：这辆车的司机会出来挪车吗？我毫不犹豫说了一声：不会！女儿不信，她说：我觉得会出来挪车的。我们各自坚持自己的意见，最后女儿说：咱们打赌！我欣然同意。

在服务员播报多遍之后，那辆车的主人依然没有出现，车子还是那么悠然地站在那儿，直到我们吃完饭那辆车都没有移动。女儿朝着吃饭的人群看，试图找见是谁能够心安理得地那样做而不觉羞耻，却徒劳无获，只得作罢。

最后当然是女儿输了，女儿问我：你为什么会断定那辆车不会开走？我说：从那辆车能够放在那样一个地方就能明白这个人没有素质，所以他不会出来挪车的。

我赢了，心却痛了。因为这种只顾自己方便而不顾他人的现象太普遍了！秩序、规则在有些人看来可以随意践踏，认为这是一个弱肉强食的世界，只要有足够的能量、足够的霸气以及足够的胆量，便可以为所欲为。

于是，我们除了可以看见司空见惯的车辆乱停乱放现象，还可以看见特殊车辆闯着红灯呼啸而过，还可以看见利用手中权力吃拿卡要，还可以看见只要缺乏监督就会肆意妄为，还可以看见只要不损害自己利益一切皆是小事……

我不想让我的女儿觉得这是正确的，我问她：这个人这样放车对吗？女儿回答：不对！这么多的车位，为什么非要那么停呢？太讨厌了！女儿的回答让我欣慰。

我希望大家能够有公德意识，每个人从我做起，还世界一片澄明。

七 我是法官

1、我的职业病

自从成为法官以来，我一直从事刑事审判工作，转眼已经 16 年了。这 16 个年头来我的思维习惯、做事方式不知不觉发生了很大的变化，大多数的变化我可能并不清晰知晓，但我想变化应该是很大的。然而这个职业对我影响最大的是产生了一些"职业病"。

首先是惧怕犯罪。因为时常与犯罪打交道，深深明白犯罪的后果，犯罪所要付出的代价，并且感到犯罪实际上是一件很容易的事情。因此，自从进入刑庭工作以来，我时常会做恶梦，梦见自己或者梦见自己的亲人朋友犯了罪进了监狱，吓醒后半天回不过神来，以为是真的，等反应过来这只是梦而已，幸福感就包围了我，慨叹一句：自由真好！

不只是在梦中，现实生活中也是时常提醒自己注意，可别犯罪。由于这种心理的作用，做事很是谨小慎微，稍有一点疏忽没考虑到或者觉得自己粗心了，冷汗就不由从头顶冒了出来，假如是晚上，肯定翻来覆去无法入睡。

比如，由于办公室寒冷，我打开了电暖气。根据我的性格，我的做事方式，临下班时我肯定会将电暖器关掉。但是当我正香甜地吃着饭时，脑子忽然动了一下，怎么都想不起自己关了电暖气没有。刚开始都不以为意，后来越想越害怕，假如一股风把一张纸刮到电暖气上烧着了，然后又引燃了其他东西，然后把案卷烧毁了，不只是我们庭里的，还有别的庭里的……想着想着，我脑子里就出现无法遏制的火势熊熊燃烧的情景。如果这样，我就构成了失火罪，造成的是难以弥补的损失；如果这样，我是一天也活不下去了。我再也坐不住了，急急慌慌直奔办公室，结果只是一场虚惊。

前段时间与朋友聊天，朋友说，现在法院有的人职业道德缺失，向当事人吃拿卡要。我当即打断他说：你错了！我们法院的人不会也不敢。是的，不是我们有多高尚，关键是我们明白，我们没必要为了那么一点钱、为了人情而断送了自己的饭碗，从而使自己受到追究。最起码我是这样，其根源还是因为我的职业病，我怕犯罪。

其次就是压力大，并且是越干压力越大，怕办错案。我记得写模范材料时许多人喜欢说这样一句话：100 个案子，我们判错 1 个，只是 1% 的错误，而对于当事人来说却是 100%。尤其是从事刑事审判工作，关系到罪与非罪，关系到他人的人身自由，我们情绪化一下，我们满不在乎一下，对于被告人来说就是很大的不同。这是多大的责任呀！我为此诚惶诚恐，在每个案子上总要下很大的功夫。

但是，出现差错是难免的，没有人能保证自己不犯错。而一旦出现了失误，自责就啃噬着我的心，长时间不能原谅自己，导致自己好长一段时间心里都很累，对自己没有一点信心，仿佛自己犯了多大罪似的，不敢见人，很自卑。虽然一遍遍告诉自己是人就会犯错，也无济于事。我明白，每一次犯错都与自己不小心、不在意有关，那些客观原因都是骗自己和别人的。

这是自己加给自己的压力，还有一些人为的压力。大家普遍感叹，案子好办，关键是关系难处理。人总是社会中的人，不可能脱离社会而生存，有时对来自的各种关系的干扰，还需要想办法在法律和人情之间找出一条通道，需要做许多工作让说情者理解自己。

工作顺畅的时候，再累再苦也能坚持，还时常因别人羡慕自己的职业而沾沾自喜。而有些时候并不那么顺畅，于是退意萌生。但反过来想，做什么工作都会有职业病，在家锦衣玉食无所事事也会厌倦，也会因脱离社会而自卑，也会因太闲而发慌。我毕竟还有自己的事业，无论如何，做好它！

邻家的羊群。绿意盎然的山坡上，悠然吃草的羊群，我们的村庄闲适而美丽。

2、刀尖上的舞者

常有人把法官比喻为刀尖上的舞者，我认为这是一个非常形象生动、非常真实贴切的比喻。

首先法官面临着巨大的压力。公正是法官最大的上司，而在走向公正的道路上，法官要付出的却是许多许多。

案件压力越来越沉重。大量矛盾纠纷未经过滤全部涌入法院，到处面临案多人少的困境，而案件本身越来越复杂化。为了圆满消化掉这越来越多的案件，法官的大脑时常处于高度紧张的状态，有时候一些复杂的案子缠绕在心头，致使茶饭不香，甚至在睡梦中都会猛然惊醒，吓出一身冷汗。紧张、焦躁、担忧、失眠成为许多法官的通病。

难以摆脱的各种关系使法官内心很纠结。我的同事们时常说，案子本身处理并不复杂，复杂的是各种人际关系。法官办案不只是要考虑法律的公正，还要考虑社会影响。不只是要尊重法律，还要解决来自各方面的说情。法官常常需要寻找一条既不违背法律又能照顾各种关系的处理方法，其劳累可想而知。

其次，法官面临着许多的风险。据报道，每年都有许多法官死伤于当事人的过激行为，人身安全受到威胁。

法律事实与客观事实冲突，当事人期待与判决结果的冲突，难免给法官造成审判风险。当法律事实与客观事实发生冲突时，法官只能根据证据定案，而这种情况往往造成当事人的不满。当事人不管其证据如何，只是觉得事实本来就是如此，法官应该支持自己的请求，如果判决与其期待发生冲突，就认为法官没有公正处理案件，往往会造成当事人与法官之间的矛盾和对立，这种对立严重时会产生当事人对法官的信任危机，出现一些过激事件就在所难免。

各种责任追究让法官如履薄冰。作为一名法官，从穿上法官服的那天起，公平正义就成为追求的目标。但是，现实中，案件本身复杂多变，法律却并不是十分健全，当事人素质更是参差不齐，这都给案件的处理增加了难度。法官也是人，认识问题的水平也有一定局限性，因此即使兢兢业业、谨小慎微地工作，换来的也不一定就是当事人的满意，有时与上级及上级法院的认识也不一致，发回重审、错案追究、纪律处分弄得人焦头烂额。

金钱的诱惑也时时存在。法官的工资与付出的劳动之间不成正比。不与别人相比，就跟律师做一个比较。律师办理一个案子收取几千元上万元的费用，超出一个法官好几个月的工资，而法官一个月可能审结许多案件，却只有固定的几千元的工资收入，使得法官心理不平衡。而在审理案件时，一些当事人和利益关系人为达到自己利益最大化或者得到于己最有利的法律结果，利用各种手段对法官和领导干部进行关系铺路、感情攻关、美色诱惑、金钱腐蚀，面对不富裕的生活状况，法官很容易就在这些诱惑前迷失。法官的"沦陷"现象已不是新闻。

我一直认为作为一个人应该干一行爱一行，我从事了法官职业，我就愿意倾尽我的力量做好，做一名称职的法官。但是，在我们法官个人时刻不忘修身养性，强化自身抗风险能力的同时，国家应净化司法环境，为法官职业提供优良的执业条件，社会也应该给法官一些宽容。如建立有效的法官职业保障体系，确保尽量减少对法官审理案件的行政干预；提高法官工资待遇；建立科学的法官选任、考核制度；开设心理咨询与心理讲座帮助法官减轻心理负荷……

上月，年近九旬的美国最高法院大法官约翰·保尔·史蒂文斯因为身体不适，宣布退休，在对媒体解释退休原因时他表示很喜欢这个工作，而且觉得自己胜任愉快，如果不是年纪和健康因素，他不会轻言离开。

我期待着，法官不再在刀尖上舞蹈……

3、法官的表情

许多朋友都说我不像法官，他们说，在他们心中法官应该是严肃的，不苟言笑的，而我的脸上总带着和善的笑容。

这引起了我的思考：法官应该具有什么样的表情？我觉得应该从三方面来说。

毋庸置疑，在法庭上，法官应该慎重地流露自己的表情。《中华人民共和国法官职业道德基本准则》第十一条规定："法官审理案件应当保持中立。法官在宣判前，不得通过言语、表情或者行为流露自己对裁判结果的观点或者态度。"第三十一条规定：法官应当"保持良好的仪表和文明的举止"。

要求法官控制表情和言行，并不是怂恿法官在法庭上高高在上、咄咄逼人，摆出威风凛凛、唯我独尊的架势。法官的神圣和威严，缘于他身上所肩负的职责，而不是其肉身本身。因此，作为具有法律知识背景、法学思维方式、法律价值观念和法律理想目标的特殊群体，法官也应追求一种客观中立、慎言笃行、心如止水的理性境界，避免感情用事。因为，在公众的注视和企盼中，审判的公正很大程度上就写在法官的脸上。

因此，审判席上的法官扮演的是客观的近乎没有"表情"的裁判者角色，同时"要像外交官那样慎言，对自己的一言一行都要谨小慎微"，嬉笑怒骂和喋喋不休都是法官在法庭上的大忌。

下一个方面是在庭下，工作中。作为法官，无论是在什么岗位，都或多或少地与老百姓打交道。我们的一言一行都代表着法院，代表着法官这个群体。现在提倡"人民法官为人民"，杜绝出现"门难进，脸难看，话难听"，所以离开庭审现场，在日常工作中，我们应该具有耐心、诚心、爱心，脸上应该洋溢着和善的笑容。尤其在接待环节，总以和善的微笑为当事人奉献真诚，建立起法官与当事人之间的情感交流和相互信任。这样做，可以拉近当事人与法官的感情距离，为顺利化解纠纷奠定基础。因此，这时候，微笑应该是法官的表情。

在生活中的法官应该是一个正常的人，有正常人的喜怒哀乐，正常人的生活享受。我想，既然朋友们认为和善不是法官的表情，那么我想这是因为有太多的人把严肃和冷漠带进了生活中，把高高在上的优越感带进人们的心中。高高在上、冷漠霸道不应该是法官的表情，作为一名称职的法官，应该做到文明礼貌、待人热情，带给社会一片阳光，让周围的人感到轻松愉快。

当然，随着经济的发展，社会的进步，法制的健全，法官面临的压力越来越大。然而，法官的心情应该是轻松的，要学会享受生活，学会给自己减压，不要把工作中的烦恼带进生活中，学会释放。无论在报道中还是在身边，法官的身体和精神状况堪忧，因此，社会也应该给法官一些空间，一些宽容，让法官的脸上洋溢着轻松和愉悦。

4、庭审中的刑事审判法官

每次开庭，面对着被告人，面对着公诉人，面对着庭下旁听的群众，我总在想这个问题：作为刑事审判法官，在庭审中我们应该是怎样的一种面貌？国家赋予了我们审判权，我们应该如何正确使用？

我想，我们应该是端庄得体的。作为法官，在法庭上的形象代表着法院的形象。这种端庄指仪态端庄大方，着装规范得体。司法公正不仅体现在我们判决结果是否公正上，还应当通过一定的礼仪来实现。而规范庭审着装则是现代司法礼仪文明的重要组成部分。着装不规范，里面不穿衬衣，不打领带，取而代之以秋衣、毛衣；或者虽然穿了衬衣，却不是白衬衣，而是其他颜色的杂色衬衣，或者打其他颜色的领带；或者法官服与其他服装混穿；或者不穿黑色皮鞋，而穿的是其他颜色的皮鞋，甚至穿旅游鞋；或者虽着装规范却忘记佩戴法徽；或者不注意保持法官服的干净、平整，给人以脏兮兮、皱巴巴的印象。凡此种种，不一而足，很大程度上损害了法官严肃执法、公正廉明的形象。作为刑事法官，要想让被告人信服，就得从看得见的公正做起，在开庭审判过程中，着与季节相符的制服，端正佩戴徽章，系统一配发的领带，穿黑色皮鞋，并保持服装整洁，不将制服与便装混穿，保持仪表端庄，不化浓妆，不佩戴项链、挂件等饰物。着装规范得体，仪态端庄大方，可以提升我们的职业气质，提高社会公信力，树立法官的良好形象。

我们还应该是睿智的。法官应该是一个智者，面对千变万化的案件，面对瞬息万变的庭审场面，没有足够的智慧是无法很好驾驭庭审的。这种智慧，不仅是要有良好的法律素养，更要有洞察事物的能力，有处变不惊的心态。法庭是一个不见硝烟的战场，被告人竭尽所能为自己辩解，绕来绕去试图绕昏法官，让法官的思路顺着他的引导走下去。法庭上随时会出现一些意想不到的事情，需要法官作出正确判断。法官必须具有清晰的思路，引导着法庭朝着查清事实，正确辨别真伪的方向发展。

刑事法官还应该是中立的。中立不只是在民事案件中，刑事案件中也是如此。国家公诉机关固然是代表国家指控被告人的犯罪行为，具有至高无上的权力，他们在庭审中拥有的是讯问权，他们还监督着法庭的审理活动。但是作为被告人，在没有被判决有罪之前，谁也无权把他们当成罪犯，他们拥有着辩护权，拥有着证明自己无罪或者罪轻的权利，法院应该保护这一权利，而不是予以剥夺。这就要求我们在庭审中保持足够的中立，不偏不倚，认真倾听控辩双方的意见，查清案件事实，作出我们正确的判断。有罪者受到法律应有的惩处，该从轻则从轻，该从重则从重，无罪者将不予追究。

法官还应该慎言。不记得在哪儿看过这么一句话，大致意思是，在庭审中法官最好用胶布绷住你的嘴。虽然这有些言重了，我们不至于要这样做，但我们的言语一定是谨慎的，这其实也是中立一方面的内容。因为我们在法庭上说出的任何一句话都是代表着法院的态度，代表着一种倾向性的，一句不当的话可能引起意想不到的后果。无论是解释法律，无论是讯问事实，无论是制止一些我们认为不当的行为，都应三思而后言。

如果以上我们刑事法官全做到了，那么我们就是称职的好法官。我能说的是，我有些做到了，有些我还在努力中，可能终其一生都不一定能够做得完美，但我是一名刑事审判法官，我在一直努力着。

5、说情

有人说，现在是一个人情社会，大小事情，大家都会想到找熟人、找关系去说情。

大家在各种人情中游走，常常是自己的权力被利用着同时也利用着别人的权力。

说情者素质各有不同，事情顺利，当然皆大欢喜；若提出的要求不合实际，或者一些原因不能达到最初的要求，弄得就很难办，很难做人，甚至会反目成仇，连原来的关系也无法维系。

我们这个职业，难免要接触许多说情者，有时觉得很痛苦，我们反复告诉自己，一定不要让各种关系蒙蔽了心智，因为有法律在那儿放着呢，不论多大的情面，我们不能突破法律的杠杠。

说情者的心情能够理解，毕竟自己或者亲朋有事情上了法庭，他们觉得就这样两眼一摸黑上法庭有些恐慌，心里没底。有些人的要求让人感觉可靠、可行，不会超越法律的底线。而有些人就不明白了，明明不符合判缓刑条件，他敢于提出来为难你；明明提的要求不符合法律，就要让你违背规定照他的做，达不到要求就会因为你不办事而仇视你。

对于求到自己身上的一些事还是好办些的，顶多办不好让人骂骂不仗义，走到街上多几个对你斜视的人而已。最怕的是有亲属和好朋友让我找人说情，还怕那些不明白人的糊涂要求。我们法院不能违背法律做亏心事，我们面对千变万化的世界努力想做到公正，都还力不从心呢，哪儿还敢为了人情有意扭曲呀？

前几天就遇到一个正在打官司的朋友对我说，让办案法官把对方叫过来吓唬吓唬，你连这么点事都办不了怎么行？听后我就晕了，这个要求我是无论如何无法对我的同事说出口，但还得嘴上诺诺地应着，他是我的好朋友呀。还有一个朋友没有立案就想让我的同事利用职权传唤别人，这不是为难人吗？我们如何能办私案！知道朋友们是不懂，并不是故意，但是如果我一口拒绝，那就朋友也没得做了，他们会认为你在敷衍，你在法院没有行情。这个难呀，我能做的只有小心应对，慢慢解释清楚。

所以，当我们自己要找别人说情时，我们应该想想别人是否很为难，并不是所有事都是可以用金钱和关系办到的，法院一手托着两家。说情当三思，当多考虑别人的难。

6、法官的难

朋友打来电话，说她主办的一个案件的当事人到市政府去闹，剁了自己一个手指头，她一下子成了名人，市委书记都知道了。

无奈的调侃！

我也调侃说：常在河边走，哪能不湿鞋？

说归说，我作为同行，深知其中的难和累，我们都在感叹：做法官真难！

法官的难，难在天天面对的是人，是麻烦事。人是有思想的，人的认识能力、素质、性格、脾气、教养等等各有差异。这且暂时放过不提，关键全是麻烦事，大都是自己无法解决的才会走上法庭。中国人的传统是：屈死不告状。可见告上来的是些什么事。

一个同事说：有的人一辈子不遇一件麻烦事，我们却天天缠在是非中。

怎么不是这样呀！进了法院的办公楼，时常可以听见吵吵闹闹的声音，总有一些情绪激动的声音在法院办公楼内高分贝地响起。法官要做的，是如何让这些声音小下来，如何让这些火气熄灭。做了这边工作再做那边工作，从法律到情理反反复复讲，还得时不时接受着当事人的怨言。面对当事人的责难，能做的只有默默承受。当事人的脾气哪里还敢激呀，压都唯恐不及。

打官司需要的是证据，法官判断是非也只能靠证据。有的人真的有理，却取不到有利于自己的证据，他们认为法院就是一个讲理的地方，法院当然应当去调查取证，应该判他赢。还有些证据模棱两可，还有些证据无法判断真伪，还有些证据让人产生歧义……这些都影响着法官的判断。法官是在很小心地做着裁决。但是有时候我们真觉得无法自保，弄不好出现一个像我朋友遇到的这样激动的人，把自己变成名人，接受着多方的质询和责问，真是很让人难以承受的。这属于自残，更有甚者，是残害法官，有多少这样的例子呀，被杀害的，被毁容的，被捅伤的，这样的报道时常出现，这个法官也会成为名人，成为大家学习的榜样，成为先进典型人物，但是相对于生命和健康，这有何用？

这是民事法官的难，刑事法官的难以前已经说过，但还是想说，让有罪的人得到严惩，让无罪的人不受追究，谈何容易！对一个人要判处刑罚，那绝不是轻率的事情，我们不得不小心谨慎面对每个案子，每个证据，战战兢兢地适用着疑罪从无原则。刑事法官也是一手托两家呀，国家司法机关的尊严和被告人个人的利益孰轻孰重？都一样的！但维持这种平衡我们不只是要有维护公平的心愿和掌握渊博的法律知识，还需要有胆量挑战一些东西。难！

法官难，还难在需要面对许多诱惑。都说法官是高风险行业，诚然。当事人进入法院，目的就是打赢官司。为达到这种目的，就难免要托关系，找熟人。法官也是人，也要在社会上生存。一方面要面对人际关系的压力，做到那么决绝；另一方面要面对金钱和利益的诱惑，工资不高，许多事情等着要钱来办，诱惑就摆在眼前。法院系统不停强调廉政廉洁，出台各种规定，但就这样，每年法院系统曝光的落马法官还是不断，上上下下都有。

做法官难呀，我知道，有些法官对待当事人的态度生硬一些，有些法官枉法裁判过，有些法官是不够有敬业精神，但是，绝大多数法官都能在自己的岗位上尽职尽责，谁也不想麻烦出在自己的手里，谁也不想自己的案子出现涉法上诉上访情况。小心谨慎尚且不行，哪里还敢马马虎虎？

法官面临着越来越繁重的审判任务，面对着越来越复杂的疑难案件，需要具有专业的法律知识，公正办案的心愿，明辨是非的头脑，耐心的对待当事人的态度，细致入微的分析问题的能力。这些还不够，调解案子，要明白人情世故，要懂心理学，要能言善辩，察言观色……

这些都非常难，压力大起来让人睡不安寝，食不甘味，脑子里挥之不去的都是案子，这一堆难题解决了，甚至尚未解决，下一堆难题又过来了，就没有可以松口气的时候。

感觉到的就是累，有时候真有退意，但每次都还是不舍。我常想，既然热爱着这份职业，既然遇到那么多的困难还干得无怨无悔，那就勇敢地做下去，迎难而上。

7、他们在用生命换取生存

他是我审理的一名被告人，因为非法运输爆炸物被起诉。

通过开庭审理查明，他确实构成了犯罪，但整个开庭过程我的心是沉重的，不是因为他的狡辩不认罪，而是因为从他身上看到农民生存的艰难。也许你会认为我的同情心泛滥，对这样的犯罪人施以怜悯，可是犯罪是犯罪，他应该受到应有的惩罚，却不能阻碍我作为一个人应有的悲悯之心。

他运输雷管是为了在黑煤窑采煤，他雇佣了几个村民干活，当问到这些干活的村民为什么明知是黑煤窑还要采煤时，他们说，现在活难找，找见活也不一定能马上得了钱，一家人还要生活，反正没活干，挣一点钱是一点钱。

私采滥挖、无证开采多年来一直是打击的重点，不仅仅是为了保护资源不被破坏、侵占，更重要的是，黑煤窑存在的隐患太多，缺乏应有的安全设施。正规的煤窑，设施到位、人员分工细致、配备齐全、监管得力，还是在不断发生事故。试想一下，黑煤窑的安全措施以及人力物力配备岂可与正规煤窑同日而语？因此黑煤窑事故发生率非常大。

就说我们这个案子被告人所开采的黑煤窑，据案卷材料记载，他们几个人挖的巷道已经有一百多米。就这样几个人，不懂采煤技术、不懂爆破技术，使用自制的不正规的雷管炸药，冒着随时塌方的危险，那是在用生命换钱呀！对于农民，力气不缺，缺的是挣钱的门路，如果不是因为贫穷，如果不是为了生存，谁愿意冒这种危险？我感到悲哀，感到心里堵得慌。

这里我想起前段时间的一个晚上，天已黑透我开车与丈夫走在一个乡村公路上，突然我的视线内出现了一辆农用三轮车，拉着满满一车不知道什么货物，幸亏我速度不快，刹车及时，否则就撞在一起了。我用的"突然"一词，是因为这辆三轮车上就没有一盏灯，我没来得及变成近光的车灯足以照花三轮车驾驶人的眼，使他看不见路。丈夫叹了口气说：农民很可怜，是在用生命赚取活命钱。

我多希望这样不顾安危赚钱的情形不再出现！珍爱自己的、他人的生命，不要拿生命换取生存！

坚"兵"。昔日越过人字闸一路西去的流水，在凛冽的寒风中不再奔腾喧闹，如同守卫着家乡的坚兵，执着、静谧……

8、可恨之人的可怜之处

人常说，可怜之人必有可恨之处。我想说，实际上可恨之人也有许多可怜之处。

从事刑事审判工作 16 年，接触了太多的犯罪人，开了不知道多少次庭，每次庭审进行到被告人陈述阶段，我都会受到触动。这些人，无论罪行大小，无论是否认罪，大都会情绪激动，诉说自己以及家里的困难，希望法庭从轻处理。

许多场面让我永远不能忘记。

一个刚满 18 岁的年轻人，犯了抢劫罪，在法庭上，他对自己所犯的罪行悔恨不已，一再述说他父母离异，母亲抚养他长大不容易，说到激动时，他转过身对着法庭下旁听的母亲深深地鞠了一躬，说了一声：对不起！抬起头已是满眼泪花。他的忏悔、他的眼泪不仅令他的母亲及旁听群众哭声一片，我们审判人员也抑制不住眼圈发红。

还有一个犯罪的母亲，在最后陈述时说：我与丈夫离异，孩子还在上小学，无人照顾，父母年老多病，希望法庭能够对我从轻处理，给我改过重新做人的机会。

还有一个犯罪的老人，在法庭上就心脏病发作，我们急急找来医生抢救。在庭审结束后，他的子女哭着跪在我的面前，让我看在他们父亲得病的份上，判他们父亲缓刑，给一条生路。

这是在法庭上，在法庭下我们也常能听见被告人的亲属、朋友、老乡说起一些被告人家庭的情况，总会听见某个被告人老婆是精神病人，某个被告人父母瘫痪在床，某个被告人是血压高、心脏病或者别的疾病，某个被告人如果判了重刑家庭就会解散……

虽然见惯了这样的场面，听惯了这样的话，但每次都令我恻隐之心泛起。

但是，由于他们的犯罪，给被害人的身心、家庭造成了不可挽回的伤害，当他们在作案的时候，他们应该想到他们行为的危害后果，却还是一意孤行，这怎么可以饶恕？另一方面，他们触犯的是国家的法律，我们作为执法者，严格依照法律判处刑罚，是我们神圣的职责。

尽管他们都很可怜，国家法律我不能践踏，他们的罪行不能放纵，如果放纵他们，我就是犯罪，他们应当受到与他们的罪行相适应的刑罚。

劝君为了自己、家人、他人、家庭、社会，切莫犯罪。

9、反思累的感觉

立秋已过，但暑热未去，我感觉自己从天气进入炎夏以来，一直处于燥热状态，身体好像总不舒服，今天头疼，明天嗓子难受，后天血压又高了，睡眠又不好，弄得自己很累。公事私事也是很多，并且有许多麻烦事情，好像就松不了一口气，使人精神高度紧张。

我常觉得抱怨自己工作量大是惭愧的事情，因为相对于别的地方，我们案子真是很少，常有外地法官或律师骄傲地宣称，他们那地方的法官一人就可以办了我们全院的案件。对这种说法我常有三种反应：一是不敢说累；二是想不通把节假日全算上，那些法官每天需要办两个案子，这需要什么神通；三是办这么多案子那得多累。

我也是一个喜欢忙碌的人，无论工作生活，我认为能忙碌着说明自己还有用，特别是当自己通过努力，通过劳动完成了一些比较难的事情时，很有成就感，因此大多时候是忙碌着并快乐着。

但我还是觉得累，主要是心累，有时有不能承受之感，近来尤其有这种感觉。累有时并不一定与是否忙碌有关，如果忙碌得快乐，那么心里是轻松的，做什么也有劲。但有时忙的让人烦，忙的不顺心，就是那种人们常说的"瞎忙"，身心俱疲。还有就是并不一定有多忙碌，事情却是出人意料地不顺利，这种心累也很折磨人。

案子越来越复杂了，感觉处处小心着还是要触雷。我都不能听见说案子的事了，本来大家在轻松说笑，若一提到某个麻烦的案子，我头上的汗马上就不可遏止地流下来，眼睛呆滞，兴致全无不说，心里还沉甸甸地结个疙瘩。晚上睡在床上，脑子里都在尽量回避思考案子，但还是在我不经意的时候，那些麻烦的事情就窜了出来，半夜难眠。

近来的一些事让我觉得：第一，我们的许多习惯应该好好反思了，一直延续着，多少年来都在那么做的事情不一定就是完全正确的。第二，法官的工作不敢有一丝马虎，不敢有一点怠惰，每一个细节都考虑周到，每一个程序都完全做到，稍有不周，痛苦的就是自己。第三，法官不能要求让所有的人都满意，人情要讲清，领导的话也要考虑，但永远以不违背法律为前提。

或许每个人都有这么些烦心事，或许我的心眼小想不开，反正遇到麻烦事情，受到否定评价，我都会感觉很累，都会在脑子里无限夸大其负面影响，不能释然。我不是抱怨别人，遇到事情我都会陷入深深地自责之中，为自己不能做好事情愧疚不已。

刚才从网友的空间看见这么一句话：你享受工作上的荣誉的同时也要承受工作上的委屈和指责。我想我应该把这句话记住，我的累还是对自己要求太高，不想让人否定自己，不想让人觉得自己做不好事。

这样的累还是不成熟的表现，何时能坦然接受自己的成与败，得与失，就算是心智健全了，还需好好历练……

10、难与易

人常说：会者不难，难着不会。无论工作、生活、学习都是这个道理。

一个小朋友当了学生会主席，别人都祝贺他说他真了不得，他说：并不是我能力有多强，而是没人愿意干，所以就把我推到这个位置了，太简单了。在他看来，学生会主席这个位置上没有竞争者，大家一推便是他了。其实事实并不是这样简单，也并不是所有人想当就可以当得上的。由于他平时的努力、能力大家都看在眼里，当上学生会主席才成为水到渠成的事。一切条件摆在那里，一切也就变得容易多了。

前段时间有人去看我开庭审案，看完后这样评价：法官最不累，总共不用说几句话，公诉人和律师才累。我笑了：因为我主持的庭审条理清晰、有条不紊，所以你感觉到简单。我承认控辩双方都很不容易，都很累，但我坐在审判台上，是不是累我最清楚。我的脑子始终处于高度紧张状态，观察着法庭的动向，倾听着控辩双方的意见，时刻注意说话的逻辑性和严密性，严格按照程序有序进行。这是在法庭上，在法庭下，我阅了案卷材料，把已看了许多遍的庭审程序反复复习了几遍，查阅了与即将庭审的案件有关的法律条文及司法解释。即使如此，在庭审即将开始的时候，我如即将上考场的学生一样，又将手头资料看了又看……简单就是靠着这些努力得来的。如果自己是对案情生疏地走上审判台，庭审处于无序状态，我想别人就看见我的累了，而更累的还是自己。

什么事也是如此。比如开车，对初学者而言，车就是一个难以驾驭的庞然大物。开着车不知道方向盘该如何拨弄，不知道车轮子在什么地方，稍不注意车辆就脱离自己的制约，该进时则不动，该停时则往前奔跑，恐慌万分。记得我刚学车那会儿，在路上练车时，十字路口遇红灯，我安稳停下了车，但成了绿灯后，我却怎么也把车开不动，在我一阵大汗淋漓的折腾后，车子一颠一颠地移动了，糟糕的是，这时候绿灯已经变成红灯我却无法让车停下来，只好硬着头皮闯过去，挨了交警一顿训斥。真正的熟练驾驶者，是三把两把就可以把车停在一个合适的停车位，是面对复杂的路况不慌不忙从容应对，是能让车辆乖乖地听其指挥。所以我们就看见有的人开车好难，有的人开车如玩玩具般容易。为什么会容易？因为有无数次的反复演练，因为付出了许多劳动。

是的，简单和容易的背后是付出。对于考试，不学习的人或者就没有在学习上付出足够劳动的人，在大家都说考题简单时，他看见的依然是重重的阻碍。还有做饭，同样的材料，有的人三两下就做出了美味，有的人费老大劲还是一团糟。难和易是相对的，在反复地操练之下，在持之以恒的努力之中，难，会变成易的。

太阳耀眼的光芒是战胜乌云后绽放的灿烂笑脸，野花惊艳的美丽是与风沙严寒博弈后怒放的青春容颜。

孤单是一个人的狂欢

"孤单是一个人的狂欢，狂欢是一群人的孤单。"

自从看见这句话，我就深深地喜欢上了它，它是如此的契合我的心境。我是一个喜欢独处的人，喜欢一个人想心事，一个人做家务，一个人看电视、上网、看书，一个人写心情文字，甚至一个人什么也不想什么也不做，发呆，很美好的感觉。

在独享的时光中，我最喜欢的事是读书，读各种各样的书。在那些脍炙人口的书籍中，我享受着文字按不同次序排列组合后产生的奇妙感觉……

于是，我跃跃欲试。从 2009 年的 5 月份开始，我尝试着把自己的心情、感情，把自己对世界的认识，把自己看到的美景，把自己的所思所想所感所悟，变成了文字，变成了短文。也许这些文字及其表达方式还很生涩，但我的文字是真诚的，我的感情是真挚的。回头看看这些文字和文章如同在看自己的孩子，可能不够漂亮，不够强壮，却都是我的心血，我深深地珍爱着它们，它们记录了我使用文字表达自己的一段历程。

我是充实的，我享受着孤单中的狂欢。

我是那样喜欢用文字去讲述，尽管已过不惑之年，我还是会继续走下去，我会不断成长，不断成熟，包括我写作的技巧，对文字的运用，以及我的思想……

　　我感谢领导、同事、亲朋好友一直以来给予了我的支持和鼓励，在成书之际，我尤其要感谢张胜友老师对我的鼓励和指导，感谢王国荣、王学亮、秦雪亮几位同志对我的鼎力帮助。谢谢你们！

2011 年 11 月 11 日

深夜于家中